あなたのその勉強の先には、
「人生のゴール」が見えていますか？

「海外で活躍したい」
「もっと仕事の成果を出したい」
「ゆとりがある仕事をしたい」
「今よりも収入を増やしたい」
「もっと幸せになりたい」

今の勉強をすることで、
その目標に向かって、
進めているでしょうか？

そもそも「勉強」は
「人生のゴール」にたどり着くための
手段、にすぎません。

「人生のゴール」が明確になれば、
達成までのルートもはっきりとします。

そして、
「どんな勉強が必要か？」という
解像度も一気に上がります。

勉強は「登山」に似ています。

登山では、目標にする「山」さえ決まれば、
すでに確立されたルートを一つ選んで、
ムダな体力を使わずに、登っていくだけです。

勉強も同じように、
まずは「どの山に登るのか」を決めましょう。
そして「勉強」を手段に用いて、
必要最小限の課題だけを、
効率的にクリアしていくべきです。
私はこれを「勉強の戦略」と呼んでいます。

「学びをもっと合理的でクールなものに」

では、現場経験で培った

本当に使える「勉強の戦略」をお伝えしましょう。

勉強の戦略

はじめに

努力が報われるには「戦略」が必要だ

この世には「努力が報われない人」と「ちゃんと報われる人」がいます。

とくに、社会人の勉強では、この両者はハッキリとわかれます。

毎日眠い目をこすりながら何時間も勉強をしているのに、なかなか結果が出ない人がいる。一方で、仕事をやりながらスキマ時間で勉強して、着実に結果を出していく人もいます。

私は、難関大学や医学部を目指す学生向けの学習塾を立ち上げ、現在は社会人向けの英語コーチングスクールを運営しています。30年以上にわたり、多くの学生やスキルアップのために学ぶ社会人をこの目で見てきました。

そうした経験を重ねていく中で、報われるかどうかの差は「戦略があるか、ないか」によって決まるということに気づきました。

使える時間が限られている社会人は、ムダな勉強をしているヒマがありません。優先度をはっきりとつけ、「そもそもその勉強が必要なのか？」と自らに問いかけながら勉強を進めて行かなければなりません。

そのためにも、人生の最終目標から逆算をし、今の自分にとって、本当に必要な勉強だけをする必要があります。

このときに役に立つのが、本書で紹介していく「勉強の戦略」です。

私が「勉強の戦略」を重視するようになったのは、自分自身が塾を経営したり、英語学習のコンサルティングビジネスを行ったりしている理由とも重なります。

私はこの世界から「報われない努力」というものを減らしたいのです。

実は私は、根っからの「めんどくさがり」です。

このような「勉強の戦略」という発想にたどり着いたのも、私が「めんどくさがりだから」というところに起因しています。

そういう性格なので「努力できる人」のことをすごく尊敬しています。目の前のことにがんばって取り組み、何かを成し遂げようと汗を流す。そういう人を私は素直に「すごいな」と思います。

だからおせっかいかもしれませんが、その努力をムダにしてほしくないと思うのです。

せっかく努力するのであれば、きちんと結果を出し、成果に結びつけてほしい。

そこで「めんどくさがり」な私が、現場で身につけてきた「戦略」の立て方をお伝えすることで、多くの人の努力が報われてほしいのです。

学生と社会人では、勉強法が根本から異なる

海外の研究でも、この「勉強の戦略」が近い将来にはビジネスの分野でも必須スキルとなるという予測もあります。

オックスフォード大学が２０１３年に発表した『雇用の未来』という論文では、ＡＩやロボット技術の進化に伴う、２０３０年の労働する人びとに求められる能力

について論じられています。

そして、その論文で、今後働く人びとにとって、最も必要とされると予測されたスキルが、「戦略的な勉強（Learning Strategies）」なのです。

「終身雇用の崩壊」や「人生百年時代の到来」などが予測される日本でも、「リスキリング（学びなおし）」という言葉が広まりつつあります。

「社会人こそ勉強をすべき」という時代だからこそ、時間がない中でもどれだけ戦略的に勉強できるのかが問われるようになってきているのです。

そもそも勉強で結果を出すには、「効率×時間」で生み出せる価値を、いかに大きくするかが大切です。

勉強を教える人の中には、「とにかく気合でがんばれ！」と言う人もいます。

なぜなら、「戦略なしのゴリ押し」でも、ものすごく時間をかけさえすれば、勉強はできてしまうからです。

大学受験などは、とくにそうですね。出題範囲は決まっているので、ものすごく時間をかけて、それを網羅するような勉強をすれば点数は取れます。

このような勉強の体験が染み付いていることにより、「気合で時間をかけることとこ

2030年までに必要となるスキル

1位	**戦略的な勉強(Learning Strategies)**
2位	心理学(Psychology)
3位	指導力(Instructing)
4位	社会的洞察力(Social Perceptiveness)
5位	社会学・人類学(Sociology and Anthropology)
6位	教育学(Education and Training)
7位	協調性(Coordination)
8位	独創性(Originality)
9位	発想の豊かさ(Fluency and Idea)
10位	アクティブラーニング(Active Leaning)

2030年までに不必要になるスキル

1位	操作の正確さ(Control Precision)
2位	手作業のすばやさ(Wrist-Finger Speed)
3位	レート制御(Rate Control)
4位	手作業の器用さ(Manual Dexterity)
5位	指先の器用さ(Finger Dexterity)
6位	機械やシステムの操作能力(Operation and Control)
7位	応答のすばやさ(Reaction Time)
8位	手作業のぶれなさ(Arm-Hand Steadiness)
9位	機械の管理能力(Equipment Maintenance)
10位	反応の正確さ(Response Orientation)

出典:The Future Skills: Employment in 2030
https://www.oxfordmartin.ox.ac.uk/publications/the-future-of-skills-employment-in-2030/

そが正しい」と大人になっても信じている人が多いことに、私は問題意識を抱いています。

いっぱいやったらできる。そんなことは当たり前なんです。

もし、あなたの人生において、勉強が一番大切で、勉強が一番好きなことだとすれば、ゴリ押しで時間を使ってもいいと思います。

でも、皆さんには、そんなヒマはありませんよね。

たとえば、社会人の方ならば、仕事や家庭、趣味と両立しながら、勉強もしないといけないことでしょう。

勉強に時間を割きつつも、ビジネススキルも磨いて、社内でのパフォーマンスをきちんと高めて、最終的なビジネス上の成果を出さないといけない。

それなら「とにかく時間をかけて量をこなそう」なんて言っていられません。

ここで気づくべきは、「時間」はみんな等しく有限だけれども、「効率」はやり方によって変えられるということです。

「たくさんやった方が成果はでる」というのは、確かにそうです。ただ、戦略を立てるか立てないかで、たくさんやったときの効果はまったく違ってきます。

また、どうせ勉強するなら、ちゃんと戦略を練ったうえで、「時間あたりの学習の生産性」を最高に上げた状態で行った方がいいでしょう。

戦略を練るためには、全体像から捉える

では、どうやって戦略を立てればいいのでしょうか？

戦略というのは、全体像が見えていないと立てにくいものです。

たとえば、初めて本格的に野球というスポーツをするとき、あてずっぽうにやってもなかなか上達しません。

「とりあえずバッティングしてみよう」とテキトーにバットを振り回しても、いつまでもボールには当たらない。

それどころか、変なクセがついてしまうかもしれませんよね。

だからたいていの場合、コーチなどの「すでにできる人」に教えてもらうことが推奨されます。

もしコーチがついてくれていれば、「まずはこの練習をやってみましょう」と、今

の自分のレベルに合ったトレーニングを教えてもらえます。

すでにできる人には「できるようになるまでのルート」、つまりゴールまでの全体像が見えているからです。

だから、「今のあなたがどの位置にいるのか?」「ゴールにたどり着くには何が足りないのか?」と、逆算して判断することができるのです。

勉強でも同じです。

まずはできるようになるまでの「全体像」を把握するのが大切です。

そうでないと、ひとりでひたすらバットを振って奇妙な打撃フォームを身につけてしまったり、肩やヒジに負担のかかる投げ方をしてケガをしたりするはめになってしまいます。

世の中には「もうすでにわかっていること」がたくさんあります。

「こういう局面なら、こうするのが普通です」「こうするのが成功確率の高い方法です」と。定石の勝ちパターンがあるわけです。

とくに、勉強のように長い間行われてきたことには、「もうすでにわかっていること」がたくさんあります。「資格試験対策では、出題形式に慣れるために過去問を解いておく」「単語を習得するには、使用頻度が高いものを収録した単語帳からやってみる」といった基本的な勝ちパターンが存在します。

そのような情報は、自分で探すよりも専門家から教えてもらう方が効率的です。ただし、皆さん全員が「コーチをつけて勉強する」というのは難しいと理解しています。そのため、私は、こうして本を書くことによって、なるべく多くの人に勉強の「勝ちパターン」を知ってほしい、と思ったわけです。

「勉強の戦略」を立てるための4つのステップ

本編に入る前に、ここで「勉強の戦略」の立て方を、簡単に解説していきます。

もちろん勉強するジャンルによって、細かな戦術は違います。

ただ「目標のために何かを学び、身につける」ための道のりは、ジャンルの違いにかかわらず、ある程度は共通しているのです。

戦略的な勉強は、次のようなステップで行います。

まずは、目標を明確にして、そこから逆算することで細かい課題を発見します（**第1章「戦略を立てる」**）。

たとえば、「海外でビジネスパーソンとして活躍すること」を夢見ているなら、この目標から逆算して考え、具体的な段階を設定します。

ここでは、海外で働くためには英語力が求められます。ここでは、リスニングやリーディングなどの英語の基礎スキルを示す指標として「TOEIC®テスト」で高得点を獲得することを課題にしたとしましょう。

さらに、ＴＯＥＩＣで高得点を取るために必要な知識やスキルとして「リーディングスキルを上げる」や「リスニングスキルを上げる」というさらに細かい課題を設定することができます。

この章では、自分の人生に一番役に立つ勉強を見つけ出す方法から、具体的な課題の見つけ方までをご紹介していきます。

次に、課題の優先順位を考えて、その課題に取り組むコストとリターンについて考えます**（第2章「課題を分解する」）**。

人間誰しも、時間やエネルギーは限られています。そのため、自分にとって最も重要な課題に優先順位をつけ、タスクを管理する必要があります。

たとえば、TOEICの勉強では、苦手なパートや重要度の高いパートに集中的に取り組むことが重要です。苦手な「リスニングの会話問題」に時間を割くのと、試験の配点が高い「長文読解」のどちらに時間を投下した方が、最終的にリターンが大きいか判断するのと同じように、社会人の勉強での「やるべき」か「やるべきではない」かの判断基準をお伝えいたします。

とはいえ、自分一人ですべての課題を解決しようとするのは大変です。そこで、そのジャンルが得意な人や経験豊富な人の力を借りることも覚えましょう**（第3章「外注する」）**。

たとえば、「英文法」の理解が追いつかないと感じた場合、説明上手な先生に個別に教えてもらったり、わかりやすい解説動画や参考書を利用したりすることで、効率

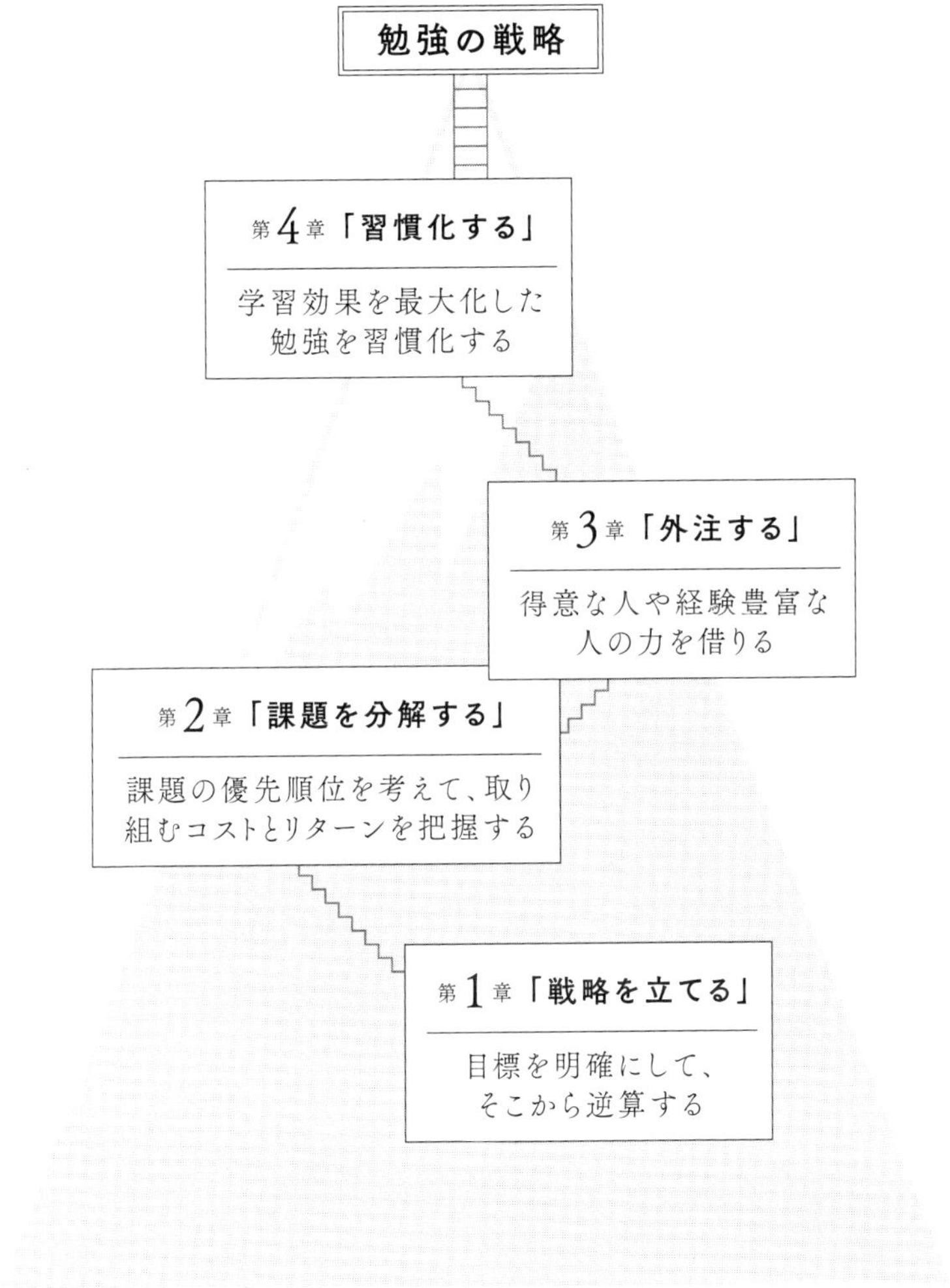

勉強の戦略

第4章「習慣化する」

学習効果を最大化した
勉強を習慣化する

第3章「外注する」

得意な人や経験豊富な
人の力を借りる

第2章「課題を分解する」

課題の優先順位を考えて、取り
組むコストとリターンを把握する

第1章「戦略を立てる」

目標を明確にして、
そこから逆算する

的に学習できます。

　この章では英語スクールを経営する立場からも、勉強で本当に頼りにすべき先生や書籍は何なのかについて説明をしていきます。


　最後に、効率的な勉強を習慣化する方法について説明します（**第４章「習慣化する」**）。学習効果を最大化するためには、効率的な学習方法と習慣化が欠かせません。

　たとえば、スキマ時間を最も効率的に活用できるように編み出された「５分だけ勉強法」で文法を勉強したり、勉強の習慣をつけるために冷蔵庫の中に単語帳を忍ばせておいたりといった勉強の仕組みづくりまで、私のスクールで実際に用いている手法を紹介していきたいと思います。


　もちろん、あなたの勉強の目的が英語とは異なるとしても、本書で紹介するプロセスを踏めば、ほとんどの人にとって使える勉強の「勝ちパターン」を身につけることができます。

　ただ実際、社会人の勉強の目標は、そこまではっきりしていない場合も多いものです。

そこでまずは、これから勉強を始める人、すでに勉強をしているがなかなか結果が出ない人が「勉強の全体像」をつかみ、効率的な勉強をするための「戦略」を立てられるように、「目標」の設定方法からお伝えします。

岡　健作

#「勉強の戦略」目次

はじめに

第1章

「戦略を立てる」

「戦略マップ」で、必要な勉強を把握する——049

第2章

「課題を分解する」

第3章

「外注する」

勉強を「外注する」という発想 —— 114

読書こそが、最高の外注化である —— 124

第4章 「習慣化する」

とりあえず始めてみる　152

仕組みを作る　164

第 1 章

戦略を立てる

勉強にモチベーションはいらない

――「努力」よりも価値があること

「がんばる」ことは、しんどいし、めんどくさいですよね。

その一方で「ちりも積もれば山となる」「継続は力なり」など、がんばることを後押しするようなことわざを、皆さんも一度や二度耳にしたことがあると思います。

一方で、実際はあらゆる場面で、みんな「ラク」をしています。

たとえば、毎日の通勤の際、多くの人は電車や自転車、車を使っていますね。

「毎日3時間かけて歩いて通勤します。努力は美しいので」なんて人はいません。

みんな本質的には、「めんどくさい」「楽しくない」「好きじゃない」ことは、極力やりたくない」んです。

面倒なことは効率化して、好きなことができる時間を増やしていく方がいい。移動手段として徒歩を選択することはできますが、多くの人は「好きなことができる時間を増やしたい」と考えているから電車に乗っているのです。

もしそんな風に思えるのであれば、あなたにはすでに「勉強の戦略」を練るための準備が整っています。

――ぼくには、努力の才能がなかった

ぼくも、小さいころから、努力することが大の苦手でした。

一方で、ぼくの弟は、とても努力ができるタイプの子でした。小学生のころから、弟は地域のソフトボールチームに所属して、雨が降ろうが雪が降ろうがお構いなしで、毎朝早くから起きて素振りをしていました。その後、中学では野球部に入り、遅くまで部活をやって、へとへとになって帰ってきて、そのうえ勉強もしっかりやる。

こんな調子だから、弟はどんどん野球がうまくなりました。中学2年生にもなる

と、野球では花形選手が守るショートのレギュラーとして大活躍しました。体も超ムキムキで頭もいい、本当に立派です。兄としても誇らしかった。

しかし、当の私はというと、とてもマネなんてできませんでした。

どうやっても、ぼくは弟のようにはがんばれない。

朝は眠くて起きられないし、毎日「めんどくさい」と思いながらぎりぎりに学校にいっていました。

さらに、対照的なぼくら兄弟は、ことあるごとに比較されてきました。

がんばれる弟は、みんなからとても褒められます。

一方で、私はぜんぜん褒められず、どんどんひねくれていきました。そして「自分はダメなやつなんだ」と思うようにすらなりました。

ついには、「そもそも野球ってなんなんだよ」「ボールなんて投げたら、危ないだろ」なんて、悔しまぎれに悪態をつくようになってしまっていたのです。

――「とにかくがんばれ」という呪いからの解放

しかし、そんな私が、急に自信をもてるようになりました。

きっかけは、中高6年間、担任だった先生のこんな言葉でした。

「がんばらなくていいから、結果を出せ」

後から聞いたところによると、「がんばったんです！」なんてアピールはいらないから、とにかく結果を出して欲しいという意図をどうしても伝えたくて、こんな風にしつこく言っていたらしいです。

ぼくは、そこから6年間、この言葉に従って生活を送りました。

先生は宿題もほぼ出さないし、テストも至って普通のものでした。

ただ、テストの結果が出ると、それをもとに面談をするんです。

「点数を上げなくちゃいけないけど、どうするの？」「いつまでにやるの？」と。

そこで「がんばります！」なんて言うと怒られます。先生は「そんなこと聞いていない」と言わんばかりです。

当時の私にとって、これは衝撃でした。

と同時に、なんだか救われた気がしました。

「がんばらなきゃいけない」「弟のようにならなければいけない」という呪いから、

急に解放された気分になったのです。

――勉強の「ハック」は、誰にでもできる

このときに気づいたのが、「努力ができる」というのは、成功のために絶対に必要な条件ではない、ということです。

もちろん「努力ができる人」ならば、有利です。しかし、「努力できない」のであれば、それはそれで仕方ない。

他の方法で、「努力」の代替をしてもらえばいいのです。

この代替手段こそが「ハック（効率を高めるためのコツ・ノウハウ）」の正体であり、ぼくが「戦略」と呼んでいるものです。

人間には誰しも「向き・不向き」があります。

「努力できない」ことは、単に、その人が努力に不向きな性質を持っているだけのことです。それは、持久走の得意・不得意とほとんど変わりません。

たとえば、長距離走で1位の人とビリの人を比較した場合、ビリの人は持久走に不

向きな性質を持っているわけです。

そうだとしたら、ビリの人が長距離走で1位になったり完走したりすることを目指すよりも、持久走とは別のジャンルで、自分の得意分野を伸ばした方がよっぽど良いのではないでしょうか。

これは勉強にだって、仕事にだって当てはまります。

ぼくは恥ずかしながら「勉強」や「仕事」をがんばることが苦手です。

逆に自分がそれらのことを苦手だと分かっているからこそ、「苦しい努力」をしないようにしているのです。

成果を出すには、再現可能なマニュアルがある

努力の才能がなくても、努力するのと同じぐらい成果を出すことはできます。

むしろ必要になってくるのは、「技術」です。

たとえば、目標から逆算して、最短距離でゴールまでたどり着けるようにするための戦略。自分に必要な課題を見極めるための解像度の上げ方。

他人の知恵を借りながら、自分が行う必要がない勉強を外注化する技術。習慣化して無理なく継続する技術。技術を身につければ、気合や根性などに頼らなくても、よい成果を出すことができます。

自分としては努力しているつもりはないのに、気づいたら努力したのと同じ成果を得ている。

「努力して」歩かなくても、電車に乗れば会社に着くのと同じようなことです。

「才能がなくても、誰でもできる！」みたいな実用書をよく見かけますが、成果を出すためにもそういう方法論があります。

つまり、努力をせずとも成果を出せる「マニュアル」があるのです。

「勉強の本質」を理解する

――大人の勉強は「活かし方」から考える

多くの人は「勉強」について、難しく考えすぎています。

勉強とは、シンプルに言うと「できないことを、できるようにする」という行為です。

そのためには「できないこと」、つまり「課題」の解像度を上げないといけません。

もっと言えば「○○について勉強する」ということ自体が、より大きな人生の課題を解決するための手段なのです。

「勉強することそのものが目的です」という考えの方ももちろんいらっしゃいます

が、この本の読者の皆さんには、あまり当てはまらないと思います。

もしそうであるならば、勉強の先には「仕事や人生をよりよくしたい」という目的があるはず。そのための手段である勉強に、いろいろと他の意味を持たせても、ただノイズになるだけです。

これは、学生の勉強と社会人の勉強の、大きな違いかもしれません。

学校では基本的に、知識を身につけることを目的として勉強します。

しかし、学校を卒業したら、学校で得た知識は「あると有利になることが多い武器」ではありますが、「最終的な目的」ではなくなります。

社会人にとっては、勉強ができるということよりも、それを「どう活かすか」を考える力の方が大切な要素になります。

――「知識」と「スキル」を分けて鍛える

勉強して身に付くことには、大きく2つの種類があります。

一つは「**知識**」。もう一つは「**スキル**」です。

「知識」とは、暗記したり、理解したりして身につけていくもの。

一方で、「英語を速く読む」「計算をすばやく正確にする」などのような「スキル」はトレーニングによって習得する必要があります。この2つは鍛え方が違うのです。

たとえば、数学の応用問題を解くとします。微分や積分などは、計算のスキルです。微分や積分は、やり方を知っていて、ゆっくり時間をかけてもいいのなら、できる人も多いでしょう。

ですが、実際には、問題を時間内に解くためには、スピードも重要です。そのために「スキル」が必要なのです。

スキルがなく、計算に負荷がかかりすぎると、問題はなかなか解けません。計算に必死で、問題の全体像を忘れてしまい、ロジックもわからなくなってくるでしょう。数学の応用問題を解くには、複数の知識を組み合わせて、ロジックを立てないといけません。そこに脳のリソースを可能な限り割くようにしないといけない。

だから、その前段階の「この公式はどう使うのか」「この数式はどうやって解くのか」といったところは、半自動化できるぐらいまでトレーニングしておく必要があります。

	スキル	知識
特徴	「実際に使える」能力	「知っている」能力
習得方法	反復トレーニング	暗記、理解
英語の場合は…	**リスニング、スピーキング**など	**英単語、文法、構文、発音**など

「微分や積分なら、もう知ってるよ」という人でも、それを半自動的にこなすスキルが足りないから、その先の難しい問題でつまずいている可能性があります。

ちなみに塾を作ったときから、うちのコンセプトは「教えるな、鍛えろ」です。知識だけあってもダメで、スキルを鍛えないといけない。

英語でいうなら「英語の知識」だけをたくさん身につけても、試験の点数は、ほとんど上がりません。ただの「英語ものしり」になるだけです。知識があるだけでは「だから何?」という状態。

知識を生かして英語を素早く読んだり、

聞いたり、それを受けて話したりするために、どうトレーニングするかが大切です。

英語のYouTubeを2時間ぐらい見て「あ〜、今日は2時間も勉強したな」と満足して寝てしまったら、絶対に成績は上がりません。

英語は「実技科目」です。知識だけ入れたってしょうがないのです。

「知識とスキルは違う」

これを知っているだけで、勉強に対する解像度はぐんと上がります。

あなたは今、知識を身につけているのか？　スキルを身につけているのか？

これを認識した上で勉強すると、思考がクリアになっていきます。

――知識があれば、理解力は向上する

では「理解力」とは何か？

理解力とは「知識の量」に支えられています。論理が理解できないのは「そこに使われている言葉の知識がない」のが原因であることがほとんど。

理解ができないのは、多くの場合、知識が足りないからなのです。

たとえば「雨が降りました。だから傘を買いました」という文章のロジックが理解できないという人はいないはずです。シンプルな順接です。

でもこの文章は、実際にはいくつかの論理をスキップしています。ものすごく丁寧に論理をつなぐと「雨が降りました。今は傘を持っていなくて、濡れるのが嫌だから、濡れないために傘を買いました」となるでしょう。

これが理解できるのは、「前提知識」が揃っているからです。

この文章を理解できたあなたは、「雨」についての知識もあるし、「濡れたら嫌だな」という感覚も共有できているし、「傘は雨を防ぐためのツールだ」ということも知っています。

現代文で、「小林秀雄の文章がわかりにくい」と言われることがあります。でもこれも知識があれば、ある程度わかるようになるものです。小林秀雄の文章は、まず語彙が現代のものと違いますよね。このような言葉の前提知識にズレがあって、さらに背景知識も不足しがち。そのせいで正確に捉えきれないから、現代の人にとっては難しく感じるのです。

物事を理解できないのは「論理的思考力」が欠けているからではなく、単に「知識」の問題であることが多いのです。知識さえ身につければ、誰でもある程度は理解できるようになるはずです。

傘が雨を防ぐツールだということを知らなかったら「雨が降りました。だから傘を買いました」という文章は理解できません。

この「知識」を使うことによって、知らない言葉も推測することができます。たとえば、まったく英語ができない人でも「雨が降ったから、アンブレラを買ったんだよね」と言われたら「アンブレラは傘のことかな」と推測できます。

――「知識」で勉強の土台を作り出せ

このように、知識を増やすことは、勉強の土台になります。何かを身につけるときには「知識」と「スキル」が必要です。

しかし、知識がないと理解が進まず、理解できていないと、スキルも身につきません。

どの分野の知識を、どのぐらいのレベルで身につけるべきか。

それは「ゴール」次第で変わってきます。そうなってくると、少なくとも、自分が進もうとしている道について、一般的な知識は持っておかないといけないでしょう。

たとえば、本を読むことは「スキル」です。「読書」というスキルを身につけるためには、「漢字を読める」という知識がないといけません。

また、専門分野を体系的に理解していくためには、ある程度の基礎的な知識がないと無理でしょう。

まったく知らない分野の本をいきなり読むなんて難しいことですよね。たとえば、何も知らないまま、簿記の本を読んでもおそらく理解できません。

知らない分野を新たに勉強し始めたい方のために、「入門書」のようなものが存在しているのは、基本的にはそれが理由です。

ただ、たとえば英語などは、すでに学校で学んで、知っている内容も多いでしょう。その場合は、今の自分の前提知識がどの程度なのか、試しにテストなどを受けて確認してから勉強するようにしましょう。

「戦略マップ」で、必要な勉強を把握する

――ゴールまでの近道を使って、努力は最少にする

なぜ、社会人の勉強には、戦略が必要なのか?

それはひとことで言えば「できるだけ努力をしない」ようにするためです。

テクニックを使ったからといって「魔法のように一瞬で単語が覚えられる」「覚えた内容を二度と忘れなくなる」「寝ているだけで頭がよくなる」なんてことはありません。

なぜなら、それを実行するときにはやはり、本人の行動が必要だからです。

戦略を立てずに勉強してしまうと、本当は自分にとって必要ないことにまで、余計

に時間を浪費してしまう可能性があります。

たとえば、英語学習で考えてみましょう。英語の課題は人それぞれです。「発音」に課題がある人が、ひたすら単語を覚えることは、時間の浪費です。

極端な話ですが、本当は会計士になりたいのに、なぜか秘書検定を学んでいるのと、状況は同じです。どんなに努力したって、方向性が見当はずれだったら、意味がありません。

そこで、重要になってくるのが、戦略です。

戦略の「略」という字には「近道」という意味があります。つまり、戦略とはその名の通り、「目標に向かって近道をする」こと。

しっかりと戦略を立てることは、ゴールまでの最短距離を見つけておくことでもあります。

――地図のイメージで、勉強の全体像を描き出せ

目標までの近道を知るには、まずは「地図」が必要になりますよね。

私の英語スクールでは英語習得の全体像を「登山」に見立てたマップにまとめています。

このマップに即して、「英語ができるようになる」ことが目標の場合、ゴールになる頂上がまず決まります。

次に、決めたゴールから逆算していきます。英語の場合は、山のふもとから順番に、「単語・文法の基礎知識」から始まり、「リーディング・リスニング」「スピーキング・ライティング」の順番で、山を登っていきます。

一般的には、日本人が「英語ができる」ようになるまでは、この「登山ルート」をたどることになります。多くの人を見てきた経験上、いきなり山頂に行けることはめったにありません。

考えてみれば、当たり前ですよね。

基礎知識のない人が、いきなり読んだり聞いたりはできないでしょう。「単語も文法も知らないけど何故か読める」ということはありえませんね。また、読んだり聞いたりできない人が、自分では正しく文を作り出して、話したり書いたりできるということもありません。立てない人は歩けないし、歩けない人は走れない、みたいなことです。

誤解のないように補足すると、これは「基礎を完璧に仕上げてからリーディング・リスニングに取り組み、それを完璧にしてからスピーキングに取りかかる」ということではありません。

実際には「スピーキングの練習を通した語彙習得」とか、「多読を通した文法理解」はありえます。これはあくまで、ターゲットとするスキルを習得する順番だと考えてください。

一般的には、英語学習の「全体像」は先ほどの図にある要素の組み合わせということになります。

英語以外でも同じです。まずはこのような「全体像」を把握するのが大切。できる人に話を聞いたり入門書を読んだりすることの本質は、ここにあるのです。

自分よりも多くを知っている人からは、学びたい分野の「地図」を手に入れるようにしましょう。

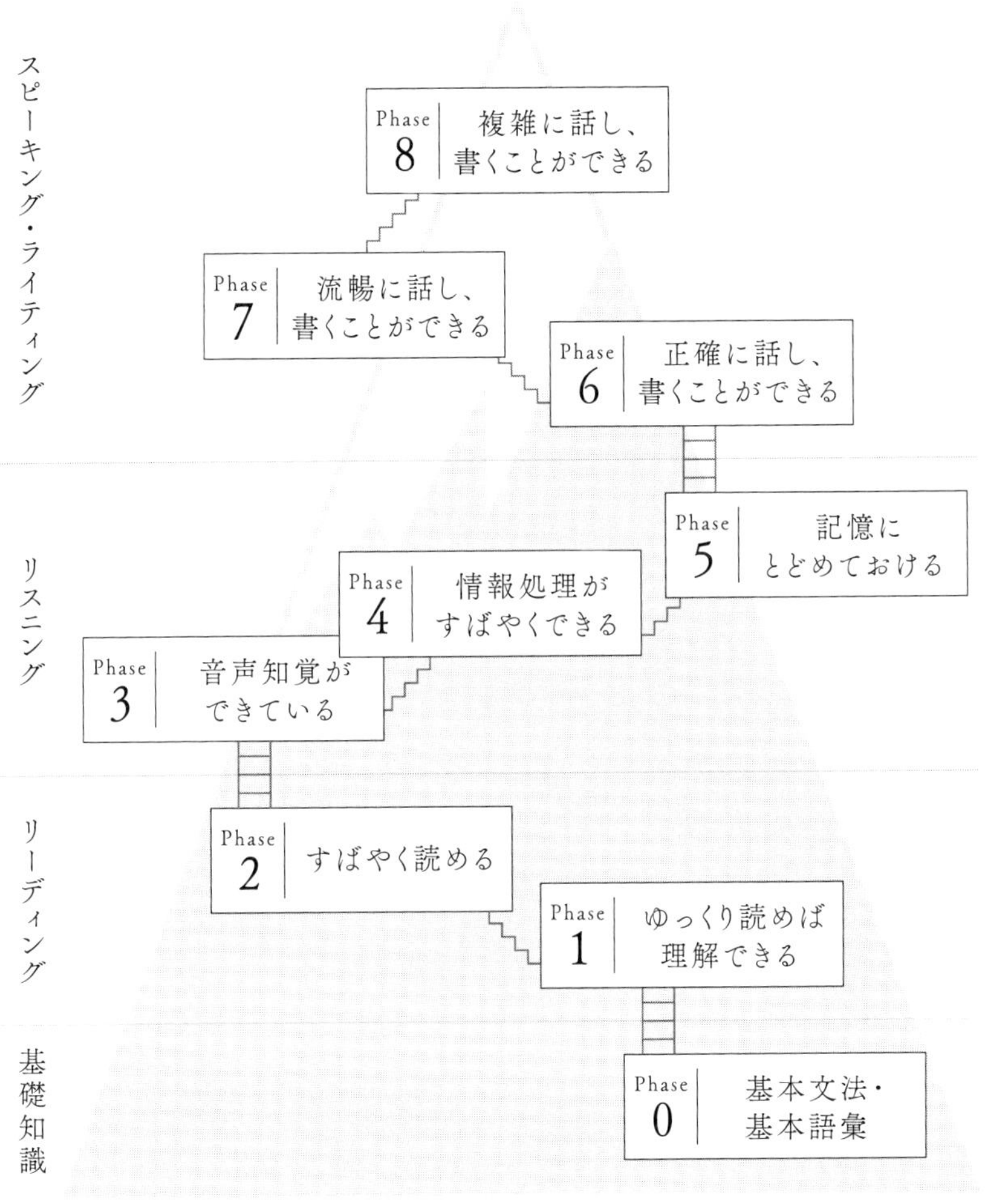

スピーキング・ライティング

Phase 8 複雑に話し、書くことができる

Phase 7 流暢に話し、書くことができる

Phase 6 正確に話し、書くことができる

リスニング

Phase 5 記憶にとどめておける

Phase 4 情報処理がすばやくできる

Phase 3 音声知覚ができている

リーディング

Phase 2 すばやく読める

Phase 1 ゆっくり読めば理解できる

基礎知識

Phase 0 基本文法・基本語彙

──まずは、「現在地」を把握しよう

次に、戦略を立てる上で大切なのは、「自分の現在地」を知ることです。
精密でわかりやすいマップを手に入れたとしても、現在地がわからなければ何の意味もありません。

今の自分が目標地点までどのくらい手前にいるのか、あるいはゴールまでのルートから外れているのか。戦略マップの場合でも、それがわからなければ、結局どこへ進めばいいのかわかりません。

普通の地図なら当たり前の話だとわかるはずです。カーナビがわかりやすいのは、地図上に常に現在地を示してくれるからですね。

ただこれが勉強となると、なぜか「とにかくひたすら歩いていれば、いずれ頂上が見えてくるだろう」と思ってしまう人が多い傾向があります。

もし山道だったら、がむしゃらに進んで、体力をムダに消費していたら遭難してしまいますよね。

幸いなことに山道と同様に、勉強では「自分が今、どこにいるのか？」をきちんと整理する方法が確立されています。

では、どうやって、現在地を見つければいいのでしょうか。

一番良いのは、マップを手に入れるときと同じで、その道に詳しい「第三者」に、自分のことを客観的に見てもらうことです。まずはいったん立ち止まる勇気を持ちましょう。

何かを身につけるという意味では、スポーツと同じです。バッティング練習をしたからといって、すぐにうまくなるわけではありません。2日間、ボールを打ちまくったからと言って、3日目から急にうまくなるわけじゃない。

自分ひとりで自主練をしていると、なかなかうまくならないので、自分が成長しているのかどうか、この練習を続けていいのか不安になります。

このような状態は、落とし穴にはまりがち。自分の状態がはっきりと認識できていなくて不安な状態になると、ついついいろんなことに手を出してしまいます。

たとえば、ネットでは「野球は、やっぱりバッティングよりも守備練習だ！」と言っている人もいる。YouTubeで自己流のバッティングの技術をものすごく熱心に解説している人もいる。すると、「やっぱりその方法を試した方が良いかな……」と心に迷いが生じます。

そこで重要になるのが、「コーチ」のような第三者の存在です。客観的にあなただけのことを見て「今はこれをすべきだよ」と言ってくれる人。コーチや先生の一番の役割はそれなのです。

一方で、「熱血コーチ」には、注意が必要です。熱血すぎて「やれることは全部やれ！」という感じだと、コーチをつける意味がありません。

コーチは、応援団ではありません。

これは、勉強にもまさに当てはまります。生徒をモチベートすることも確かに大切です。しかし、それは高いお金を払ってまで、専門家にお願いすることではない。ときどき部活にきて、差し入れなんかをくれて、励ましてくれるのはうれしいことだけれど、直接上達の役に立っているわけではありません。

ですので、教室や先生を選ぶときには「モチベーター」ではなく、きちんと知識のある「課題発見の専門家」を探しましょう。

先ほどから紹介している「地図をつくって、現在地を把握する」ということは、全体像を把握しているからこそできる技術です。できれば専門家にお願いするのが理想なのです。

ただ、ポイントを押さえれば、ある程度のところまでは、自分で戦略マップを作成できますので、ご安心ください。

――最終目標はあくまでも「ざっくりと」決めておく

自分の現在地を知った後、戦略を立てる前に考えるべきことがあります。

それは「最終目標」です。

「あなたは一体、なんのために勉強しようとしているのでしょうか」

この答えを言葉にしておくのは、勉強の目標を立てる上での最も大切な第一歩です。

最終目標を決めるときのポイントは、あくまで「ざっくり」と決めておくことです。「いつまでにこのスキルを身につけたい」とか「収入に直結するような仕事をして、年収を〇〇万円上げたい」という目標では具体的すぎます。

そうではなくて、ここでは、「お金を稼いで幸せになりたい」くらいの粒度の目標でかまいません。

「1週間後までにあれをして、半年後までにこの試験に合格して……」と、初めから細かく目標を決めるタイプの人もいます。意味がないとまでは言いませんが、最初のうちから細かくゴールを設定しても、その通りにいくことはほとんどありません。

むしろ、細かい目標にとらわれすぎると、本当にほしいものを見失ってしまう危険性があります。

たとえば「資格を取りたい」という目標があるとします。その上位には「資格を活かして、収入を増やしたい」のような目標があります。そして、さらにその上位には「お金に不自由せず、ハッピーに暮らしたい」といった、ふわりとした状態の最終目標があるはずです。

下位の目標は、あくまでも上位の目標を達成するための「手段」です。

先ほどの例なら「お金に不自由せず暮らしたい」という上位の目標を、達成するためにその手段となる下位の目標をおくだけ。

下位の目標しか見えなくなって、「資格を取ること」そのものが目標になってしまうことは場合によっては回り道になってしまいます。

「なんのために勉強するのか?」「最終的にどうなりたいのか?」というゴールを見失ってはいけません。

そもそも目標がないと、戦略は立てられません。

戦略を立てるには、目標を決めて、それに対する課題を「精緻化」して、出てきた課題に一つひとつ取り組んでいくことが必要です。

ただ、あまりにも「目標そのもの」に縛られるのはまさに本末転倒。

最初に立てた目標は、未来永劫続く「絶対的なもの」ではなく、その時点で考えていた仮の状態の理想だと考えておきましょう。

途中で目標が変わることは普通のことですし、課題に取り組んでいるうちに「なんか違うな」と感じるのも当たり前です。

設定した目標を達成するために、戦略を立てることは大切です。

その一方で、最初に立てた目標だけに固執して、撤退できない状態になるのは好ましくありません。目標にこだわりすぎて「自分にはこれしかないんだ」と考えてしまうと、かえって遠回りになってしまいます。

勉強の戦略は、あくまで「最短距離」を見つけ出して、なるべくラクをすることにあります。戦略に固執して、ムダな苦労をするのでは意味がありません。

こうした事態を防ぐためにも、目標は「ゆるくて大きな目標」と「今日・明日レベルの細かい目標」の2つをしっかり決めておくといいでしょう。

その中間点となる目標は、自分の現在地を把握しながら、その都度調整するようにします。状況や環境の変化に柔軟に対応できますし、不必要に固執することなんてなくなるはずです。

――勉強のゴールは、状況によって変動する

先に少しだけ触れましたが、目標達成に向けて行動するうちに、自分の気持ちや外部環境が変わることは普通のことです。

近年のように、とつぜん感染症が広まったり、戦争が始まったりすることだってあります。

状況や環境が変われば、当然、目標は変更する必要があります。

たとえば「楽しくお金を稼いでハッピーになりたい」という最終目標のために「海外で活躍するために、英語の資格を取る」という中間的な目標を立てた人がいるとします。そして、「英単語を勉強する」という下位の目標を作って、日々学習していきます。

この場合、たとえば新型コロナの影響で海外への渡航が難しくなると、「海外赴任できないなら、資格を取る意味がない」という状況になることは十分にあり得ます。

しかし、それまでやってきた「英単語の勉強」までムダになることはありません。なぜなら、資格を取らなかったとしても、勉強した英単語のスキルを活かして、方向転換することはできるからです。たとえ海外に行かなくても、オンラインで英語話者とコミュニケーションを取ることはできます。

もしあなたが「資格を取る」という目標だけに固執していたら、どんどん視野は狭くなっていきます。

むしろ、「目標は変わる」という前提でいれば、自分に関連するようなニュースを集めたり、情報収集をしたりして、自分の会社や業界、世の中の状況に積極的に目を向けられるようにもなります。

コツは、定期的に「このままでいいのか？」を確認すること。目標は、常日頃から「再点検」が必要です。

ざっくりと決めた目標を、細分化して、一つひとつ乗り越えていく。その過程で変化する状況に応じて、また目標を組みなおす。基本的には、そのくり返しです。

――諦めて「新しい試合」を開始する

とはいえ、「せっかくここまでやってきたから、諦めたくない」と、ずるずる最初の目標にこだわり続けてしまう人の気持ちも、わからなくはありません。

人間は、自分が都合の良いように、世界を認識するクセがあるからです。ここで挙げた例の場合は、「サンクコスト効果」が影響しているでしょう。

サンクコストとは、これまで費やした費用や時間、労力のことです。これらはもう支払ってしまったコストなので、なかったことにはできません。過去に割いた労力を惜しむあまり、正しい意思決定ができなくなる場合があります。投資における「損切り」（損が生じている投資商品を見切って売ること）ができない状態をイメージしていただけるとわかりやすいと思います。

たとえば、受験の世界でも「東大へ行くために8浪しています」みたいな人もいます。そういった人は「サンクコスト」に捕らわれているのです。

最初に立てた目標をムキになって達成しようとして、後に引けなくなっている。たいていそういう人は、二浪の段階で早慶などの大学に受かっていたりします。でも、それを蹴ってまで「東大」という目標にこだわり続けているのです。

周囲の人間から見れば、「さっさと早慶に行った方がいいのに……」と思いますよね。本人だって冷静に考えると、そんなことはわかっているはずです。

ただ「あのとき早慶に行っていればなあ……」と、5年目くらいに後悔したとしても、5年も経つと高校の同級生はみんな大学を卒業してしまっています。

そうなると、本人としては、もう引くに引けない状態になってしまっているのです。

ビジネス界隈だと「サンクコスト」は、当たり前の言葉として知られています。しかし、いざ自分のこととなると、サンクコストを意識している人はあまりいません。

塾や予備校のキャッチコピーは、「諦めない心」みたいな言葉であふれています。リアルな世界でも「諦めたら試合終了」だと思っているわけです。これも、正しい意思決定を妨げてしまっている原因です。

それもあって勉強では、まじめな方ほど、なかなか「諦める」ことをしません。はっきり言っておきましょう。**諦めるのは、悪いことではありません**。

諦めることとは、「選択」するときにはどうしても必要になるからです。

よくよく考えると、私たちは毎日、何かを諦めて生きています。たとえば、ランチでラーメンを食べると決めたときには、カレーを食べることを諦めなければいけません。何かを選ぶことは、何かを諦めるということでもあります。

さらに言うと、諦めずに何かを続けることは、「他の可能性を諦めている」のと同じことです。生きていく上では必ず何かを諦める必要があります。諦めることが「試合終了」を意味するのなら、すべての人はとっくに「試合終了」しています。

向いていないことに割いた時間を、適切に「損切りする」のも大切なスキルです。

確かに仕事においても、現状に見切りをつけて転職し、失敗して苦労する人もいます。ただ、それは戦略を考えず、テキトーにやめてしまったからかもしれません。後先考えず、現状に狼狽して単に切り捨ててしまったというケースですね。

諦めるときこそ、きちんと新しい戦略を立ててから進めるべきです。

たとえば経理の仕事なら、どの業界に行ってもやることはほとんど同じです。製造業の経理から、ＩＴ業界の経理に転職するのは、そんなにリスクがありません。むしろ転職した方が、最新システムを使えてラクになる可能性だってあります。給料も高くなるでしょう。

しかし、今までは食品系の会社でルート営業しかしていなかった人が、いきなり不動産業界で飛び込み営業をしようとしても、うまくいかない可能性は高いのではないでしょうか。こうした仕事の場合では、職種は同じでも、必要なスキルや知識はかなり違うわけです。

正しく諦めて別のもっと可能性のある道を選べるのなら、何かを諦めるのは悪いことではないのです。

それは勉強でも同じです。**「向いていない」と気づいたら、早めに見切りをつけて、別の道を選択をすることも悪くありません。**諦めるのは、ただの「選択」にすぎないのです。諦めたからこそ「試合開始」となることもあります。

――勉強の先にある「人生のゴール」まで設定する

さて、ここからは「勉強の戦略」を用いつつも、絶対にブレてはいけない軸についても考えていきます。

言い換えれば、ただ「諦めたり、ラクをしたりする」だけでは意味がないので、あなた自身が「勉強」の先にあるものを考えるときに何にフォーカスするのか。それを改めて捉えなおしてみましょう。

考えてみるべきなのは、最終目標を達成したあなたは「本当に幸せになれるのか？」ということです。

多くの人は、自分自身が「人生のゴール」を設定していると思いこんでいます。でも、自分の力でゴールを設定できている人はほとんどいないと、私は思っています。

こういうことを言うと、すぐに「何を言っているんだ。そんなことはない。私は自分で目標を立ててきたぞ！」という反論が聞こえてきそうです。でも、本当にそうでしょうか。

たとえば「良い学校に入って、良い会社で働く」という目標があったとしましょう。この目標は、本当に自分自身が設定したものでしょうか。

「医者になってお金持ちになる」とか「英語を使いこなして世界で活躍する」。このようなステレオタイプな目標だけをやり玉に挙げているわけではありません。あなたの心のうちに秘めている目標のことも、ここでは考えてみてください。

そうした目標が、「世間のイメージに引っ張られていない」と言い切れるでしょうか。

多くの人は、いつのまにか「ゴール設定」を他人に委ねてしまっています。「他の人がこう思うから……」とか「世間的には……」みたいな評価から、完全に自由である人はかなり限られていると思うのです。

でも、ゴール設定を他人に委ねてしまうと、基本的には幸せにはなりにくいものです。どんなに努力しても、どんなにがんばっても、です。

もちろん、世間的に「幸せ」とされることが、自分にとっても「幸せ」であるということはあります。お金がたくさん入ってきたら幸せ。いい会社に入ってちゃんと昇進できれば幸せ。それなら問題はないのです。

でも、自分が思う「幸せ」が世間とズレていたときに、それでも自分の幸せの方を優先できる人は多くありません。「それが本当に自分にとっての幸せなのか？」ということを、ギリギリまで考えることが大切なのです。

――勉強をして、大谷翔平よりも幸福になれるか？

自分の本当のゴール、目指すべき場所がわかっていれば、最適な戦略を取ることができます。

たとえば大谷翔平選手の活躍を見て、「うらやましいな」と思ったとします。球は速いし、ホームランは打つし、カッコいいし、本当にスゴイですよね。

ただ「うらやましいから」というのを理由にして、大谷選手を目指して野球を始めるのは普通は愚策ですよね。

もちろんあなたがまだ少年で運動神経が抜群なら、野球を始める意味はあるのかもしれません。でもすでに大人になっていて「これから大谷選手を目指す」のはかなり難しい。

ここで立ち止まって「なぜ大谷選手を羨ましく思ったのか？」と考えてみるわけです。すると、こんな考えにたどり着いたりします。

大谷選手のことを羨ましいと思ったのは「野球がうまいから」ではなく「たくさん稼いでいるから」だった。

そして、本当のゴールは、「大谷選手のようにたくさん稼ぐことだ」と気づくわけです。つまり、プロ野球選手になることは重要ではありません。

当然「大谷選手のようにたくさん稼ぐ」といっても、何千万ドルも稼ぐことはできません。そもそも市場が違いますし、ビジネスの仕組みも違います。

しかし、大谷選手と「同じ額」を稼ぐことはできなくても、大谷選手と同じくらいの「幸福度」に到達できる可能性は少しならあるかもしれません。

もしかしたら、あなたにとっての年収1000万円は、大谷選手が現在感じている幸福度に匹敵するかもしれません（もちろん大谷選手の幸福度がどれくらいかはわかりませんが）。

「自分の本当のゴールはどこにあるのだろう？」と考えれば、ゴールまでの中間目標を見誤りにくくなります。

自分自身の目標を設定し、正しく最短経路で、自己投資としての勉強を行うことができるようになるでしょう。

勉強できる人は、「自分」のことを良く理解している

戦略を立てて勉強するにあたって、もう一つ大切なスキルが「メタ認知」です。メタ認知とは、自分の知覚・感情・記憶・思考といった認知活動を客観的に捉えて、見定め、コントロールすること。自分自身を外から客観的に眺めているようなイメージです。

メタ認知力が高まると、「自分にはこんな傾向がある」「こんなところが弱点だ」

と、長所を活かしたり短所を克服したりする方法について、冷静に自己分析できるようになります。

どんなゴールを達成すれば、自分は幸せになれるのか？

そのゴールを達成するために、自分には何が足りないのか？

戦略の肝になる「目標設定」や「現在地の発見」がやりやすくなるわけです。

メタ認知力を鍛えるためにおすすめの方法は「日記をつける」ことです。

日記といっても、一日5行ほど、箇条書きでかまいません。次の内容を、寝る前にノートに書き出してみましょう。

- **勉強内容**
- **覚えたキーワード**
- **成果（できたこと・できなかったこと・疑問点など）**
- **その日の気持ち**
- **今後やりたいこと**

このような日記をつけると、自分の現状や課題を客観的にとらえるきっかけになります。そうすれば、成果につながる的確なアプローチを見つけやすくなるのです。

また、日記を書くことで、その日に学んだ内容を「思い出す」ので、学習内容が記憶に定着しやすくなる効果もあります。

「その日の気持ち」をセットで記録するのもポイントです。

実は「感情」が、学力向上に役立つ可能性を示す実験結果もあります。

株式会社NTTドコモなどが2020年に行った共同実験では、小中学生を被験者にして、記憶力テストを実施したそうです。

しかし、ただの記憶テストではなく、「怒り」「喜び」「悲しみ」など、14の感情をもっている状態に被験者を誘導してから、実験を行いました。

すると、「興奮」「興味」「喜び」といったプラスの感情をもたせた状態でテストに臨んだときは、被験者のテストの得点がとくに高くなったそうです。

しかも、学習内容とは関係がない感情でも構わない、と分かったのです。

感情を言語化することでメタ認知を行うと、その日の自分が「学習に適した状態」

だったのかがわかります。

気分が落ち込んだり、不安になったりしているときは、少し休んでから勉強するといった対処をするといいでしょう。マイナスの感情に流されると、戦略から外れた余計なことに手を出してしまいやすいものです。

メタ認知によって感情をコントロールすれば、より冷静に勉強を進められます。

メタ認知のトレーニング、記憶の整理、感情のコントロールが同時にできる。お得な「5行日記」、ぜひ試してみてくださいね。

第 2 章

課題を分解する

正しく課題を診断する

「目標」から逆算して「目の前の課題」をあぶりだす

当たり前と思われるかもしれませんが、**「目標」**と**「目の前の課題」**は異なります。目標とは「英語でコミュニケーションを取れるようになりたい」みたいなものであり、目の前の課題とは「知っている英単語が少なすぎる」といったことです。

つまり目標と比較すると、目の前の課題は、その名の通り、すぐそこまで差し迫ったものになっています。

もし英単語をぜんぜん知らない人ならば、「英語でコミュニケーションを取る」という目標があったとしても、いきなり英会話を始めたところで成果は出ません。

まずは、英会話をするために必要な単語を覚えないといけない。「目標」の達成を見据えた上で、どういった「目の前の課題」に、どのようにして取り組むか、を考えること。それが「戦略を立てる」ということです。

課題発見の理想は、医師の診断

課題は、最終的には「具体的な行動」のレベルにまで分解するべきです。

たとえば、自分で「英語の課題は何か」と考えてみましょう。

実は「英語の勉強は大学受験レベルで止まっていて、TOEICは500〜600点ぐらい。リスニングがとくに苦手」というレベルの分析だとまだ不十分です。

というのも「リスニングが苦手」といっても、「なぜリスニングが苦手なのか？」は、人それぞれだからです。

①　そもそも単語・文法を知らない

② 英語の音が全部つながって聞こえてしまう

③ 単語の意味はわかるけど、文章の意味を処理するのが追いつかない

④ ①~③をやるのに負荷がかかりすぎて、そのときは理解できても、文章が長くなると前半の内容を忘れていく

たとえば、リスニングが苦手な場合には、大まかに分類したとしても、この4つの課題があります。①と④では、その解決策は大きく異なることがわかりますよね。

このように、自分が何に躓いているのかを考えることで初めて、具体的な解決策が見えてくるようになります。

課題の解像度が低いまま勉強をスタートしてしまう状況は、病院で「なんとなく具合が悪いのがわかったので、さっそく手術したい」と言われてしまうのとほとんど同じです。そんなのおかしいですよね。

手術をする前には必ず「**精密検査**」、つまり症状の分析、原因の特定が必要になります。

勉強の場合も同じことです。「リスニングができない」という症状に対して、何故リスニングができないのかという「症状の分析と原因の特定」が必要だということです。

原因によって取るべき対処法は当然異なります。

「リスニングが苦手」「読解力がない」「資料作成が苦手」などの勉強の課題が見つかったときには、「お腹が痛い」のと同じ状態だと考えるようにしましょう。

そこから「なんでお腹が痛いのか？」を丁寧に検査していきます。「食べすぎ、飲みすぎ」でお腹が痛いのと「胃がん」とでは、治療法がまったく異なります。

こうした課題発見の一番の理想は、医者にあたる人に症状を見てもらうことです。しかし、もちろん、セルフチェックも可能です。ただ、そこには落とし穴もあります。まずは注意すべきところから見ていきましょう。

――「メソッド」の乱用に気を付けよう

皆さんも「〇〇メソッド」のような勉強法を見かけたことがあるかもしれません。もしかしたら、実際に、取り組んでみた方もいるのではないでしょうか。しかし、いきなりそういったメソッドを試しても、うまくいかない可能性は高いのです。

その理由は、非常に明快です。

先ほどの医師のたとえを使うのであれば、課題があいまいなままメソッドに飛びつくのは「お腹が痛いから、とりあえず開腹手術をしよう！」と言っているのと同じです。ちょっと飲みすぎたくらいで、お腹をメスで切られるのは普通ありえませんよね。

そもそも「メソッド」とは、すでに明確になっている「課題」を解決することに特化した手法のことです。

だから、**そもそもの課題がわからないのに、メソッドを選ぶことはできません**。

また、1〜10まですべての過程で使える「トータルメソッド」みたいなものもあります。でも、もしかしたら、今の自分のレベルは「5」ぐらいかもしれないのに、約束規的に、1〜4まで馬鹿正直に勉強しなおすのは、大変効率が悪いものです。もうクリアしているところにまで、余計な時間を使うのは、とても戦略的とは言えません。

もちろん、「メソッド」のすべてを否定しているわけではありません。課題に対して適切なメソッドを選べば、効果はあります。

ただ、勉強におけるメソッドとは、あくまで課題解決に向けた処方薬なのです。頭痛のときに胃腸薬を飲む人はいません。

まずは、そもそも何の病気なのかを明確にすることから始めましょう。逆に言うと、何の病気かさえ分かってしまえば、どう対処するのかは自ずから決まってくるのです。

――その課題は、「自分の力」で何とかなるのか？

ロジカルに課題を発見した後には、発見した課題を分類しましょう。分類は大きく分けるとたったふたつ。自分で「**どうにかできること**」と「**どうにもならないこと**」です。

この二つが未分類だと、取り組むべきことが判別できません。

たとえばコロナの影響で、会社の経営が大変な状況だとしても、自力でコロナを収束させることはできません。その場合は、コロナという新たな環境を前提にした上で、再度、課題を分解する必要があるわけです。

コロナ禍の対策についても、すごく単純化すると、次のように対策をまとめることができます。

① コロナが2年続いてもなんとか耐えられる→その間に経営を筋肉質にしておく
② 耐えられない→損失を最小に抑えるために事業を縮小するか、撤退する。

このような具合で、対応策について、考えることができます。

「業績が悪いけどコロナだから仕方ない、とにかくがんばるしかない」などと思っていると、ずるずる損失を出し続けて、気づけば取り返しがつかない状態に陥ることもあります。

「自分でどうにもならないこと」に対しての向き合い方としては、メジャーリーガーの大谷翔平選手の考え方が参考になるでしょう。

彼は花巻東高校で高校野球をやっていたときに、マンダラートと呼ばれる思考ツールを使っていたことが話題になりました。

大谷翔平選手が高校時代に書いたマンダラート

体のケア	サプリメントを飲む	FSQ 90kg	インステップ改善	体幹強化	軸をぶらさない	角度をつける	上からボールをたたく	リストの強化
柔軟性	**体づくり**	RSQ 130kg	リリースポイントの安定	**コントロール**	不安をなくす	力まない	**キレ**	下半身主導
スタミナ	可動域	食事 夜7杯 朝3杯	下肢の強化	体を開かない	メンタルコントロールをする	ボールを前でリリース	回転数アップ	可動域
はっきりとした目標、目的をもつ	一喜一憂しない	頭は冷静に心は熱く	**体づくり**	**コントロール**	**キレ**	軸でまわる	下肢の強化	体重増加
ピンチに強い	**メンタル**	雰囲気に流されない	**メンタル**	**ドラ1 8球団**	**スピード160km/h**	体幹強化	**スピード160km/h**	肩周りの強化
波をつくらない	勝利への執念	仲間を思いやる心	**人間性**	**運**	**変化球**	可動域	ライナーキャッチボール	ピッチングを増やす
感性	愛される人間	計画性	あいさつ	ゴミ拾い	部屋そうじ	カウントボールを増やす	フォークの完成	スライダーのキレ
思いやり	**人間性**	感謝	道具を大切に使う	**運**	審判さんへの態度	遅く落差のあるカーブ	**変化球**	左打者への決め球
礼儀	信頼される人間	継続力	プラス思考	応援される人間になる	本を読む	ストレートと同じフォームで投げる	ストライクからボールに投げるコントロール	奥行きをイメージ

出典：スポニチアネックス
https://www.sponichi.co.jp/baseball/news/2013/02/02/kiji/K20130202005110330.html

とくに注目を集めたのは、大谷選手が「ドラフト1位で8球団から指名を受ける」という目標までの要素の一つとして、「運」という項目を挙げていたことでした。

そのマンダラートをみると、運を味方につけるための行動として「あいさつをする」などが重要な要素となっていると、大谷選手は考えていたのです。

一見すると、運を向上させるためにあいさつをする」というのは、科学的な解決策とは言えません。でも、運を良くするために、「あいさつ」以上に、自分の力で行えることなんてありません。そういう場合には、それでいいのです。

逆に、運の要素にこだわりすぎて「たくさんお寺に行く」「有名な神社で神頼みする」みたいな方向に走ってしまっていたら、あまり成果は得られなかったかもしれません。

そうではなくて、自分でコントロールできない領域のことにこだわりすぎないことが重要なのです。その分の力を、コントロールできるところに配分するのが戦略的な考え方と言えるでしょう。

──課題発見は、マンダラートを手本にする

先ほど話に挙げた、大谷翔平選手が高校生のときに描いた「目標達成マンダラート」についての話を、さらに掘り下げてみましょう。

というのも、これこそが**「課題の分解」に関するお手本**のような事例だからです。

このマンダラートがすごいのは、書いてある内容自体がすごいからではありません。

むしろ重要なのは、ここまで細かく課題を分解できていることそのものなのです。

おそらく実際の成功の要因は、その他のいろいろな要素によるものとは思いますが、ここでは課題の分解にフォーカスしてみます。

「野球がうまくなりたい」と思っている人は、世の中にはたくさんいます。

しかしその中で、「そのためにいっぱい練習する」という解像度の人と、マンダラートのように課題を細かく分解できている人の間には、大きな差が存在しています。

先ほども書きましたが、課題さえきちんと発見できれば、その解決策は自ずと見えてくるものです。

たとえば、野球の場合では、変化球の曲がりを大きくしたいときには、その解決策はおそらく「球の握り方」と「腕の振り方」、「リリースのときの手元」などの課題となるポイントがあります。

その中から「球の握り方」に課題があるとわかった時点で、解決策はかなり絞られます。そこまでわかれば、上手な人に握り方を聞いたり、本を読んだり、実戦練習をしたり、課題に重点を置いた練習を行えばいいわけです。

何かの問題に直面したとき、多くの人はまっさきに「解決策を見つけよう」と思いが先行してしまいがちです。

でも、そもそも**「なぜ自分は躓いているのか？」を見つける、課題発見の方がよほど重要**なのです。

大谷選手のマンダラートは、野球のみならず、勉強でも使えるものになっています。ぜひ皆さんも実践してみてください。

実は「課題の分解」に必要な要素は、ここに詰め込まれています。

やるべきことを明確にすること。また先ほど説明したように、「悩んでもどうにもならない」ことをはっきりと割り切ることもできるようになります。

「課題に対する「解像度」を上げる」

「課題」をさらに掘り下げてみる

「努力が報われる人は、どういう人なのか？」

そのような人の特徴の一つとして、「**何が自分の課題なのか、をきちんと把握している**」という点が挙げられます。

この課題に対しての解像度の差が、努力が報われる人と、報われない人の大きな違いなのです。

私は、課題の解像度を高めることを「**イシューの精緻化**」と呼んでいます。イシューは「課題」、精緻化は「細かい部分まで明確にする」という意味です。

これだけではわかりにくいと思うので、勉強ではないのですが、身近な例で説明していきましょう。

ある会社員が「お金がない」ことに悩んでいるとします。

ここで「生活を切り詰めよう」「ボーナスまで耐えよう」「がんばっていればいつか昇進するだろう」と思ってしまってはダメです。それは「思考停止」です。

本当にお金がないことに悩んでいるのなら、それよりも「イシューの精緻化」を進めるべきです。課題を掘り下げていくのです。

「お金がない」という課題の解消を突き詰めていくと、どうなるでしょうか？

お金がないとき、まずは大きく2つのルートがあります。「支出を減らす」もしくは「収入を増やす」です。当たり前ですね。

多くの人は節約をして「支出を減らす」ことはわりと実践しています。一方で「収入を増やす」ための方法は実践していなかったりします。

そこで「会社員が収入を増やすにはどうすればいいのか？」をさらに掘り下げていきます。すると昇進、転職、副業あたりが思い浮かぶでしょう。

イシューの解像度を上げる

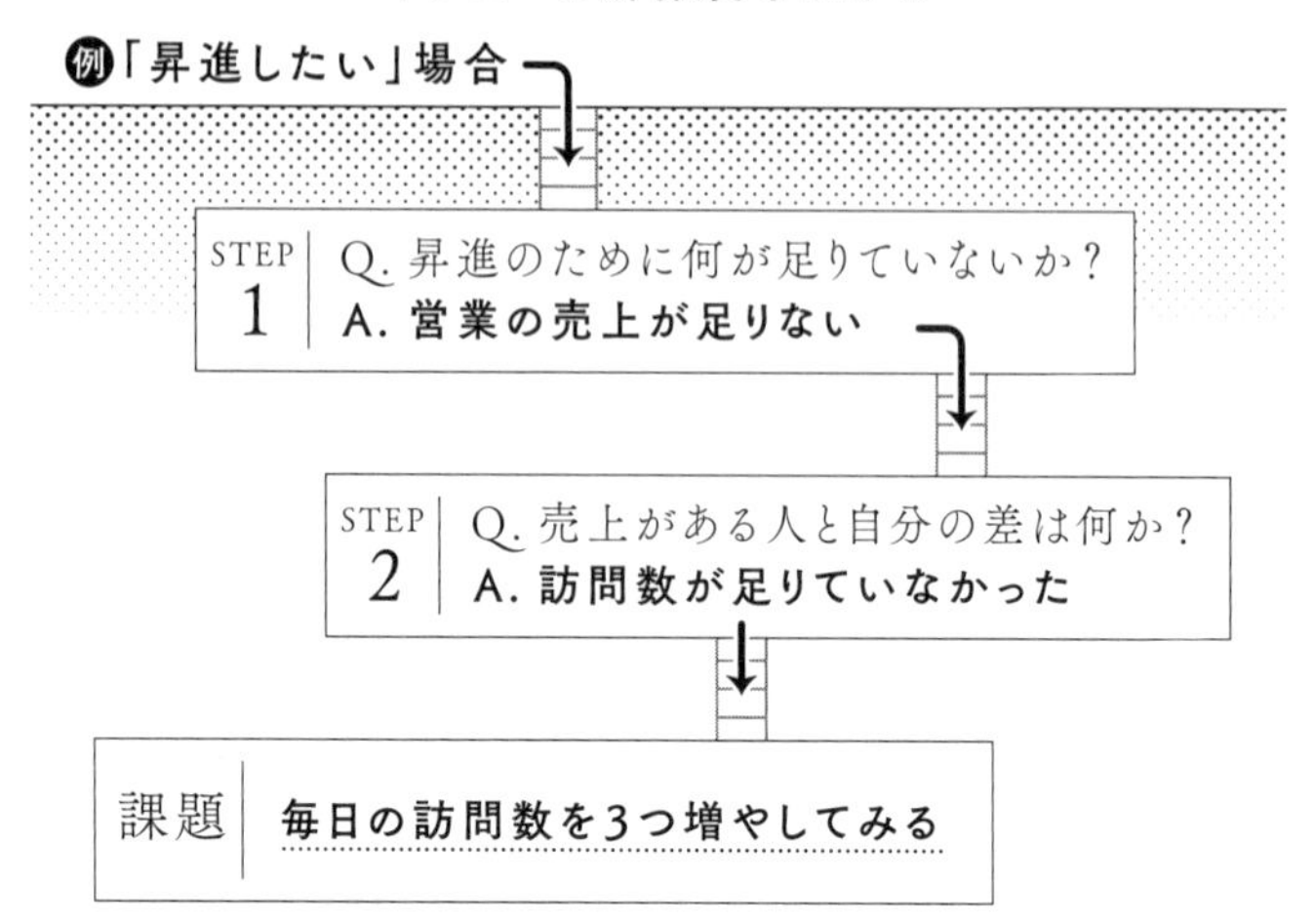

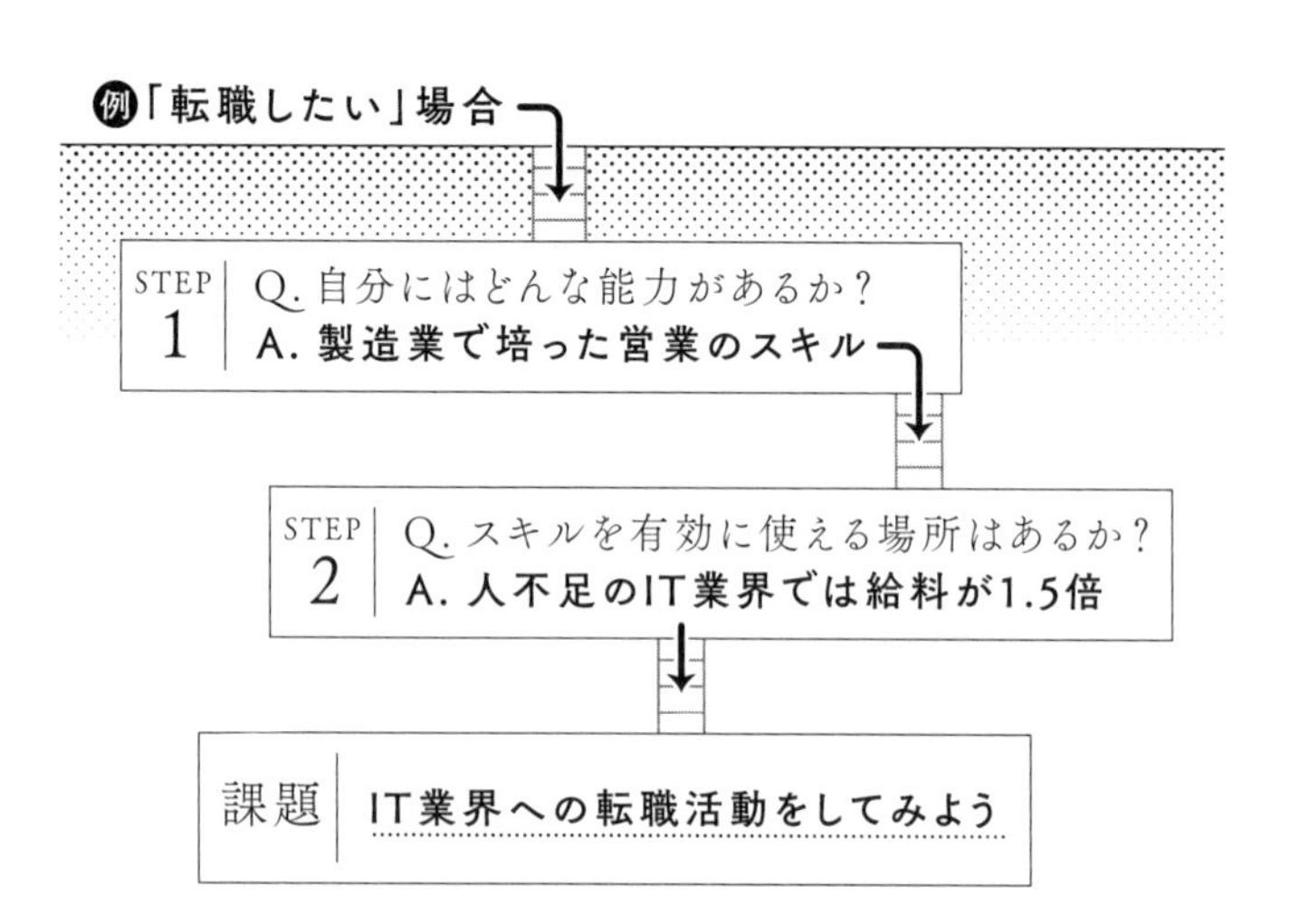

ここで「昇進を待とうかな？　いや、転職しようかな？」と考えるだけでは意味がありません。さらに一つひとつの選択肢を掘り下げる必要があります。

たとえば「昇進」をするために、さらにイシューを掘り下げるなら、前のページの図のように整理できます。

同様に、「転職」についても、掘り下げておく必要があります。

「イシューの精緻化」というのは、前のページで示した図のように、いくつかのステップを踏んで、問題点を深く掘り下げていくことです。

すると根本的な問題が「具体的な行動」として浮かび上がってきます。

――課題の達成確率は、シビアに考えておく

さて昇進と転職、まずは2パターンで「イシューの精緻化」を行いました。わざわざ2つのパターンで精緻化を行ったのは意味があります。

この結果、「訪問数を3つ増やす」と「ＩＴ業界への転職活動をする」という、変えるべき行動がそれぞれ浮かび上がりました。ここで、はじめて両者を比べるわけで

す。

もし「訪問数を変えるだけで、売上が伸びて昇進できそうだな」と思うのなら、昇進を目指した方がいい。一方で「同じ仕事をしていても、別の業界に行くだけで評価が上がりそうだな」と思うのなら転職を選べばいい。

多くの人が「昇進と転職のどちらを選べばいいか？」という時点で立ち止まって考えてしまうのですが、そこで終わってはいけません。

「訪問数を変える」のと「ＩＴ業界への転職活動をする」こと。どちらのコスパがいいか、と考えて、最終的に行動同士を比べることが大切なのです。

解決すべきそもそもの課題は「お金がないこと」でしたよね。よって、ただ「**どちらの行動を選んだ方が課題解決の確率が高いのか**」を考えればいいだけなのです。

人生でも勉強でも「がんばればなんとかなる」と思っている人はたくさんいます。

もちろん、がんばることも大切です。

しかし、その前にきちんと戦略を立てなければ、ムダな努力で終わってしまう危険性があります。

先ほどの例でも挙げましたが、まさにキャリアに関してもそうです。

よく「会社にしがみついていればなんとかなる」と思っている人がいます。「やりたくない仕事だけど、がんばっていればいつかは報われる」と思っている人もいます。

そういうこともあるかもしれませんが、もっと具体的にロジカルに戦略を考えることです。

戦略がなければ「報われない努力」で終わる危険を察知できません。

少しだけ私の話をします。

私は大学卒業後、老舗のカメラ会社に就職しました。配属されたのは、体育会系ゴリゴリの営業部。

入社したのは2000年でした。ちょうどカメラがフィルムからデジタルにシフトしているときです。ただ会社からは「デジカメを売ると利幅がすごく減るから、フィルムカメラを売ってくれ」と言われていました。

しかし、その努力もむなしく売上はどんどん落ちていき、営業所の人数も減らされていきました。一人あたりの担当エリアはどんどん広くなっていき、挙句の果てに他の会社に買収される話まで出てきました。

当時はまだ入社二年目。世間的には「三年は耐える」ことがよく言われます。周りの人にもそう助言されました。「がんばっていたらいいことがあるはずだ」と。

……でも、それはちょっと考えにくいと思っていました。

もちろんすでに50、60代で、このまま大きい会社に買収されて、退職金も満額もらえるというのであれば「いいこと」なのかもしれません。

しかし入社2、3年目の人で、そのままがんばって得することなんてかなり可能性は低い。そこに賭けるのはリスクだと思いました。

私は早々に転職を決断しました。

その後、塾の経営に乗り出し、今ではおかげ様でうまくいっています。

もしあのまま「がんばればなんとかなる」と会社に残り続けていたら、今の自分はなかったでしょう。

大切なのは、根性論で乗り切ろうとしないことです。

冷静に課題を分解していけば、自ずと答えは見えてくるはずです。

――課題の発見に「思い込み」は禁物

人は現状維持の方がラクですし、安心感を覚えます。

カメラ会社の例でも、会社に残り続けた人は「現状維持はリスクが少ない」と判断したのかもしれません。

しかしそれはただの「心理的なバイアス（偏り）」です。ここに気をつけなくてはいけません。

たとえば、キャリアを考えるとき、多くの人は「転職よりも昇進の方が現実的だ」と思いがちです。でもこれも、立派な心理的なバイアスです。

そう思ってしまうのは「同じ会社に長くいると信用があるよ」とか「3年間は働かないとダメだよね」などと思い込まされてきたからです。

そんなバイアスに騙されてはいけません。

仮に製造業からＩＴ業界のような人材の流動性が高い業界に移ったとしても「この人は3年経たずに辞めているから信用できない」などと思う人の割合は、ＩＴ業界では相対的に低いでしょう。

実際には制約ではないことを、制約だと思い込んでいることはよくあります。

そこをできるだけフラットに見ること。そのためにも、まずは課題を分解して、本当にやるべきことをあぶり出すべきなのです。

課題を分解していくことが、戦略を立てるときの基本です。

「お金がない」「英会話ができない」などの課題があるなら、それをどんどん掘り下げていって、本当の問題点を見つけ出す。

たとえば、英会話では、ネイティブスピーカーとの会話経験が重視されがちです。

ある程度の単語の知識がなければ、会話も成り立ちません。日本語で会話がかみ合わないときも、そのような場合が多いですよね。

確かに、ネイティブの方との会話経験は大切ですが、それよりも優先すべきは、自身の課題を発見することです。

後は、その課題をつぶすソリューションを実行するだけで、万事解決するはずです。

第 3 章

外注する

「やらないこと」が、最高の効率化

――世の中は「必要がない勉強」であふれている

改めて言うと、勉強の戦略とは、勉強をするための戦略ではありません。

効率的に勉強するための一番のポイントは、「なるべく勉強しないこと」です。なんでもかんでも自力で勉強するというのは、正直に言うと意味がありません。

それよりも、勉強の総量を減らしつつ、本当に必要な勉強だけに、時間を投入すべきです。

そもそも勉強とは、シンプルに言えば「何かを身につけること」です。

だから、勉強の戦略とは、「最短距離で何かを身につけるための戦略」だと思ってください。

大人が、仕事や人生をよりよくするための勉強に取り組むときには、極力ムダを省くべきです。時間が限られているなら、「目標達成のために役に立たない勉強」をしても、あまり意味がありませんよね。

もちろん、趣味の勉強なら話は別ですから、大いにムダを楽しんでください。実は趣味のような一見ムダに思えることに大いに時間を使うことこそが、最終的なゴールとしてふさわしい場合もあると考えていますが、それはまた別でお話しします。

ここでは「役に立てる」という目標を持って勉強することに絞って、話を続けます。この場合の勉強で身につけたものは、目標に到達するために使えるものでなくてはいけません。逆に言うと、その部分だけにフォーカスすれば、実は勉強というのは、そんなに途方もないほどの量をこなす必要はないのです。

これも、身近な例で考えてみると、少しわかりやすくなるでしょう。

たとえば、自宅でトイレの電球が切れてしまったときに必要な知識は「電球を交換する方法」だけです。

当たり前ですが、電球そのものの作り方や、電気の基礎から学ぶ必要はありません。

確かに勉強をしなければ、自分の知識やスキルは増えません。しかし、**世の中には知らなくてもいいことが、実は多くあります。**

全世界の人が、電球そのものの作り方を知っている必要はありません。このように、自分でやらなくても「他の誰かがやってくれる」ことが、この世にはたくさんあります。

ここで改めて知っておくべきことは「自分でできるようになる」よりも、実は大切なことは「正しく他人に任せる」ことだということです。

——勉強のコツは、「誰かの力に頼る」こと

勉強も「他人に任せる」ことで、必要な労力を減らしておく必要があります。

勉強の総量を減らすための判断基準は、まず「本当に自分でやるべきことなのか？」を見極めることにあります。先ほども言いましたが、なんでもかんでも自分でやって

いたら、目標を達成するのに、とても時間がかかってしまいます。

社会人には、そんな時間はありません。

あなたがダイエットをするときに「5キロのランニング」と「ヘルシーな料理」の両方が必要だったとしましょう。

でも、ランニングをしながら、同時に料理を作ることはもちろん不可能です。

一方で、人に任せることができれば、ランニングと料理を同時進行できます。この場合だと「誰かに代わりに走ってもらう」ことに意味がないので、「料理を誰かに作ってもらう」ようにすべきです。もちろん、料理が得意な誰かに作ってもらってもいいし、コンビニやレストランでヘルシーな料理を買うのも「任せる」方法の一つです。

この考えは、会社の経営に似ています。

社員に仕事を任せず、社長が自らずっと手を動かしている会社は、なかなか大きくなりません。一方で、成功する経営者は、自分でやらなくてもいいタスクを、適切に社員や委託先の人に任せている。その時間で、自分がすべきことにあてる時間を確保しています。

つまり、**うまく「外注」をしている**のです。

私は受講生の方々を見ていて、勉強こそ「外注」する必要性がある、と日々感じています。

では、勉強と人生の効率を最大化できる「外注化」について、説明しましょう。

——力になるなら、人でも機械でも頼るべき

外注化とは、「苦手なことや手が回らないことを、他者に任せること」と、ここでは定義しておきましょう。

一方で、「人に頼るなんてズルい」「自分でやることにこそ意味があるんだ」という考えをお持ちの方が一定数いることは、私も理解しています。

でも、「なんでも他人に頼らず、一人でやらないといけない」というのは、思い込みです。だって、そもそも私たちは、普段から他人に助けられて生きています。

電車や電気、ガスを使えるのは、誰かが裏で支えてくれるおかげです。自分の力で電車を運転したり、発電したりすることはできませんよね。できたとしても、電車を

作ったり、原油を掘削したりすることはできません。

普段からみんなで力を貸し借りしながら生きているにもかかわらず、勉強に限って「他人に頼ってはダメだ」なんて、よく考えたらおかしな話です。

しかも現代では、大変ありがたいことに、外注できる先は「人」以外も可能になっています。たとえば、苦手な掃除をルンバに頼んだり、面倒くさい洗濯をドラム式洗濯機に頼んだり、人工知能をもちいたプログラムにさまざまな作業をやってもらうことは、まさしく立派な「外注」の一例です。

――勉強法には、知見が蓄積された「王道」がある

勉強の場合、まず外注化するべきことは「勉強法」それ自体です。

勉強法は新たに自分で考えた方法よりも、すでに確立されている方法が効果的な場合が多いのです。

事実、東大などの難関校に受かるような人は、たいてい一般的な勉強法に忠実です。

できる人だからと言って、何か特殊な勉強法をやっているわけではない。勉強法については、長年の蓄積によって、だいたいの最適解が見つかっています。

それなのに多くの人は、自力で「勉強法」の答えを導き出そうとしてしまう。でも、それはいわゆる「車輪の再発明」にすぎないのです。

一方で「がんばって量をこなせば、質も上がっていく」「だから、まずはとにかく量をこなすべきだ」という考えの人もいます。

でも、**そもそも自分でがんばって量をこなさなくても、すでに質のいい方法論が、世の中にはたくさん出回っています。**

いくらかっこつけて「量をこなせば質が上がる」などと言ってみても、すでに前世代の人が量をこなしてくれたおかげで、もう十分に質は上がっています。あなたひとりがいくら量を増やしても誤差にもなりません。

少し極端ですが、簿記の資格試験の勉強のために、自己流で財務諸表を読もうとしても無理です。その状態で、ただ量をこなしても時間を浪費するだけです。

それよりも、書籍を読んでみたり、試験の過去問を見たりする方が圧倒的に有益です。

すでに先人が時間と労力を惜しみなくつぎ込んで導き出した方法があるにもかかわらず、自力で解法を思いつくまでがんばるのは、あまりにもムダが多いのです。

たとえば、「英語の学習の世界」にも方法論はあります。

英語には「第二言語習得研究」という学問分野があります。その分野では、「人はどのようなしくみで外国語を身につけていくのか?」ということを、世界中の優秀な学者が、熱心に労力を投入して、研究しています。

この知見を活用すれば、英語を身につけるのに現段階で最も効率的だと思われている方法がわかります。

ここまで言えば、他の人の成果に頼らずに、すべて自力で勉強することに意味がある、という方はもうほとんどいないのではないでしょうか。

もしそれでも「自力で」とこだわるのは、人類のこれまでの営みに対する礼を欠いたことのように、私には思えます。

どんなことでも、まずは一般的な方法から学んでみましょう。

一般的な方法とは、淘汰されずに残った「王道」の勉強法です。

たとえば、TOEIC学習にも、「王道」とされる書籍や問題集があります。

こうしたものが市場で淘汰されずに残っているのは、それが多くの人から認められ、実際に使った人に効果があったからです。

もしかすると「そんなのはただ要領よくやっているだけだ」「オリジナリティがあることに意味があるんだ」と思う人もいるかもしれません。

確かに、「王道」に沿って、それを追従しているだけでは不十分なこともあります。しかし、先人たちが作り上げた「王道」をまずは受け取り、自分でいろいろ試していく中で、受け入れるべき部分や、自分にはフィットしなくて採用しにくい部分に、初めて気づくはずです。

最初は誰かのマネをする。だんだん自然にできるようになってきてから、自分なりのアレンジを加える。それが最も質が高く、ラクな方法です。

もともとの「王道」のエッセンスが血肉になった上で、微調整する。ラクをしたいならまずマネをすることから始めるべきです。

――結果を追い求めるなら、オリジナルな勉強法はいらない英語の業界でも、「ぼくが考えたさいきょうの勉強法」のようなものが多すぎます。

とくに、SNSの普及も相まって、「俺が英語をできるようになった方法」とか「私なりのメソッド」みたいなものが氾濫していて、いろんな人がいろんなところで、持論を展開しまくっています。

挙句の果てには、科学的に非効率とされている勉強法でさえ、「これで成績が伸びた！」とサンプル数の少ない意見を宣伝するような人も出てきています。

そもそも、時間と気合でゴリ押しした勉強をして、成果を上げた人にとっては、どんなに非効率な勉強法でも「ぼくが考えたさいきょうの勉強法」になってしまいます。

そして、「自分はこれで成績が上がった」という体験があるから、一切疑うことないどころか、親切心をもって、他の人にも勧めてしまうのです。

オリジナルの勉強法を導き出すプロセス自体が楽しくて、趣味として勉強をすることが好きな人ならば、それでもかまいません。電車があってもマラソンランナーは走ります。

ただ、ここでは「目標達成に役に立つ」勉強に絞って話をしています。そして、そうした勉強の成果は「英語力」や「年収」として、残酷なまでに、数字で示されることになります。

どんなにがんばっていたとしても、勉強のプロセスは、結果には一切反映されません。

ほぼ勉強せずに取った100点と、死に物狂いで取った100点には、価値の差はありません。そう考えると、プロセスは「よりラクな方」がいいはずです。

──小さな成功が、爆発的な行動量を生む

中高生を教えていると、よく「自分のオリジナルの方法でやりたい」と言われます。そういう子はたいてい、成績が上がりません。

本当のことを言うと、中高生の9割ぐらいは、そもそもあまり勉強をやっていません。オリジナルのやり方を探すどころか、普通に勉強を継続できる人がとても少ない。

実は、一番難しいのは、そこなのです。つまり「努力が大切」と言っても、「努力」ができない人がとても多いのです。そういう人に「とにかくがんばりましょう」と

言ったところで、なんの意味もありません。

ここまで読んでもまだ「努力が大事なんだ」と思っている人、あなたはほんとに努力できているのでしょうか？

逆に「戦略ばかり考えて、ぜんぜん実行しない」という人もいます。そういう方も当然、いつまでもできるようになりません。

勉強はできるようになってくると、自然とモチベーションが上がります。できることは楽しいのが普通ですからね。

だから、できるようになるには、努力よりも、まずは「行動量」が必要です。

そして行動量を増やすためには、その行動を、「つらいものにしない」ことがとても大切なのです。

まちがっても「根性」みたいなもので行動量を増やそうとしないでください。そんなことをしても、いつものように挫折します。

努力を「当たり前」みたいにできれば、それはもはや努力ではなくなります。

そのために必要なことは「成功体験」。そして、成功体験を生み出すための「方法論」です。

方法論を学んでやってみたら、思っているよりもうまくいった。うまくいったからおもしろくなって、またちょっとやってみる。それでまた、次の方法論を学んで、次の課題を解決していく。

このグッドサイクルを生み出すと、目標を達成しやすくなります。

学校だと「褒められた」「友だちより点数が良かった」ということも、小さな成功体験の一つになります。

指示された通りやっても、すぐに結果が出ないかもしれない。けれど先生がその行動を褒めて強化しておけば、だんだんできるようになっていくということはあります。

学校の勉強（宿題）は、わりと方法論がしっかりしています。

確かに、遺伝などの要因の差も、もちろんあります。けれど、べつに「ノーベル賞を獲れ」と言っているわけではありません。

「めちゃくちゃ天才」というのは難しかったとしても、「普通に賢い」くらいの人には、勉強の戦略を用いればなれるはずです。

――ラクな方法は、すでに示されている

方法論を学ぶために、最適な方法が「読書」です。

本には、考え方やツール、知識などの情報がたくさん載っています。こうした情報は、戦略を立てる上で、大変役に立ちます。

オリジナルな方法にこだわってしまう人は、多くの場合「もっとラクな道がすでにあること」をそもそも知らない場合も多い。

逆に言えば、**方法さえ知っていれば「ちょっとやってみようかな」と思いますよね。**わざわざ大変な道を選ぶ人は、あまりいないはずです。

たとえば病気になったとき、医者は「この治療方法で治った人が一番多いですよ」というものを選びます。患者もそれを受け入れるのが普通です。

お医者さんなら、目の前の患者さんに対して、いきなりオリジナル治療法を使ったりしないはずです。

病気のようなリアルで切迫した危機に対しては、定説や王道を重視するのに、勉強

やスキルアップの際には「オリジナルの方法」にこだわるのは真剣さにかけているからともいえるのではないかと思うのです。

何かを始めるときは「既存の情報はないか？」という視点を持つことが大切です。たいていの場合、誰かがすでにいい方法を見つけています。

――「正しさ」を追うか、「楽しさ」を追うか

ただし、再現可能なことをやるのって、正直あまり楽しくないですよね。マニュアル化されたものをくり返すのは、ちょっと退屈にも思えます。

一方、オリジナルのことをやるのは楽しいものです。その気持ちはとてもよくわかります。だから、**オリジナルの楽しいことは、「趣味」としてちゃんと切り分ける**ことが望ましい。

絶対に成し遂げたいことがあるときには、楽しいからといって寄り道をしている場合ではありません。

英語学習でも同じことが言えます。「趣味として英語を勉強していて、何より楽し

みたい」とか「英語で書かれた小説を読みたい」という場合には、戦略なんて立てる必要ありません。むしろ、そういう場合には、戦略なんて邪魔です。

再現不可能なやり方だろうが気にせず、自分の思うまま楽しくやればいいんです。そして、それはとても豊かな経験になると考えています。

しかし**「絶対に英語を身につけなくちゃいけない」という人には、戦略が必要です。**その場合には、「正しい」とされている方法でやるのが一番です。楽しくはないかもしれませんが、その方が成功確率も高まります。

少しシビアに感じるかもしれませんが、「目標を立てて勉強する」というのはそういうことです。

勉強を「外注する」という発想

――得意だからと言って、時間を浪費するのは大間違い

外注を言い換えるならば、「投資」とも言えるかもしれません。

外注すると、人やモノやサービスに「投資」することになると考えるならば、もちろん、損をするリスクも、当然あります。

せっかく外注をするなら、可能な限り損をしたくないものです。金融投資と同じで、リスクを管理するためのコツは存在します。

それは「**自分でやるよりも、コスパがいいかどうか**」で、判断することです。

たとえば、「自分とルンバを比較して、どちらの方が部屋をきれいに保てるか」を

比べてみましょう。掃除がそんなに苦ではなく、掃除自体も上手な人なら、かかるコストが「ルンバ＞自分」となるので、外注しなくても、自分でちゃちゃっと片づけてしまえばいいわけです。

しかし、掃除がものすごく苦手だったり、忙しくて掃除の時間が取れなかったりする人なら、「ルンバ＞自分」なので、ルンバへの投資は、断然お得になります。

一言で言うならば、自分の不得意分野を外注すれば、基本的に損はしません。

このように自分が苦手なことを外注化するのは、それほど難しくありません。そもそもできないのであれば、人に頼むしかありませんから。

料理が苦手なら、外食したりコンビニで買ったりすればいい。掃除が苦手なら、ルンバや家事代行にお願いすればいいわけです。

外注のときに、**問題になるのは「得意なこと」をどこまで手放せるか**、です。

自分でもできることを人に任せるときの判断は、かなり迷います。自分でもできることはつい「外注するより、自分でやった方が早い」なんて思ってしまうんですよね。

これは「比較優位」と呼ばれるものです。

有名な喩えで「弁護士と秘書」という話があります。とびきり有能な弁護士が、文書作成のタイピングにおいても、その秘書に比べて早くて得意だとします。

その際に、「自分でやった方が速い」とタイピングまで自分でやってしまい、弁護士業務に割く時間が短くなったとします。すると、弁護士はより稼げる弁護士業務を一部削って、単価の相対的に安いタイピングに割り当てたことになります。結果として、全体の生産性は落ちてしまうと言うわけです。

このような場合、「得意か、苦手か」は、外注するかどうかの判断基準にはなりえません。

——限られた時間を、最大限活用する勉強法

「何をどのように外注するか」のもう一つの判断基準は、戦略の基本と同じで、「ゴール」から逆算することです。達成したいゴールを基準にすれば、外注すべきものが見えてきやすくなります。

そのときに念頭に置いておくべきなのは、達成したいゴールには「制限時間」があることです。

「次のＴＯＥＩＣの試験で」８００点を取りたい。

「30歳までに」転職するためにこの資格を取りたい。

と、目標には制限時間がついていることが普通です。

制限時間を意識した際には、能力的には自分でできることでも、時間的に全部することは不可能だと気づくはずです。

たとえば、料理も掃除も、仕事も全部やりたいし、その上で勉強もやりたい……。なんて言っていたら、キャパオーバーしてつぶれてしまいます。少しはゆっくりしたり、好きなことをしたりする時間も、人間には必要です。

そうなると、もう残る時間は少ししかありません。

能力的にはできるけれども、できることを全部やろうとしていたら、まったく手が回らない。**「できるけど、自分でやる必要のないこと」は、やっぱり外注する必要があるのです。**

確かに、「自分でやった方が、人に任せるよりクオリティが高い」という人もいます。

しかし、自分の方が外注先よりも仮に能力が高かったとしても、「アウトプットの質」で比較すると、正直そんなに変わらないことも多いものです。

というのも、自分には時間がなくて活動時間が10分しか取れない場合には、能力的には自分の半分に満たなくても、外注先に2時間かけて仕上げてもらった方がいいアウトプットができるからです。その2時間で、自分は自分でできることを進めた方がよっぽど効率的に物事を進めることができます。

つまり、**自分の時間的なリソースも考えつつ、いいアウトプットを出してくれそうな人に頼めば良い**わけです。

たとえば、掃除がすごく得意で、ルンバよりも自分の方がきれいに掃除できるとします。短期的に見れば、自分で掃除した方が、良い結果を得られるかもしれません。でも、ルンバに掃除してもらっている間、自分は仕事や勉強や睡眠など、もっとリターンの大きいことに時間を使えます。

少しぐらい部屋の隅のホコリが残っていたとしても、自分はルンバのマイナスを補って余りあるくらい価値があることに時間を使えばいいのです。

——勉強できる時間も限られていると知ろう

私は、英語コーチングの会社を経営しているので、「社長だとお忙しいですよね？」と言われることがあります。実際には、まったくそんなことはありません。

平日でも丸1日ぐらいだったら、空けようと思えば、空けられます。

1時間だけミーティングが入ったりすることはあっても、1日ずっと拘束されるようなことは、基本的にありません。

もちろん、事業の構想や経営の方針は考えています。だから「何もしていない」と言うと語弊があるのですが、いわゆる「手を動かす」のは、それほど多くはありません。

後の時間は、情報収集したり、戦略を考えたり、経営状況を確認したりしています。

経営者が自分で手を動かさなくてもいいという状態。これが、会社が最も成長できる理想の状態だ、と私は考えています。

しかし周りを見渡すと、すべての社長が暇なわけではありません。むしろ、現場に出て、誰よりも手を動かしている社長の方が「いい社長」とされていたりする。しかしこれは、組織の弱点になると思います。

社長がやるべきことは、まさしく「戦略を立てる」ことです。最適なリソース配分を考えて、現場のスタッフに手を動かしてもらい、会社を成長させること。人に仕事を任せられないと、会社は成長しません。

社長が最前線で忙しく手を動かしていたら、スタッフには一時的に好かれるかもしれない。でも、全体としての効率はものすごく悪くなります。戦略を立てる時間がなくなり、なかなか成果が出ず、結局は、現場のがんばりが報われなくなってしまうのです。

これは、個人の勉強でも同じです。私たちは誰もが「株式会社・自分自身」の経営者だと思いましょう。

だから、がむしゃらに手を動かしてばかりではいけません。まずはきちんと戦略を考える。誰かにお願いできることはどんどん任せて、なるべく自分では手を動かさない。

そうやって、成果を最大化していきましょう。

――勉強をすることで生み出せる「価値」

外注の特徴を「自分でやらなくていいことは、プロに任せる」と言いました。電球一つだけつける場合も、その手前はすべて、他の人がやってくれているわけです。開発も生産も流通も、お金を払って誰かにやってもらっている。

そもそもお金は、誰もが外注できるように、「価値を交換するためのツール」です。もっと詳しく言えば、自分が得意なことをして生み出した価値を、他の誰かの得意なことと交換するためのツールなのです。

ここで言う「得意なこと」とは、投下時間に対して、あなたが他の人と比較して価値を生みやすいことです。そして、**自分は得意でやるべきことにフォーカスしていく。そうすると、効率的に資産を増やすことができる**のです。

では、自分が価値を出せる分野はどこにあるのか。

その判断軸は、二つあります。一つは、自分が得意だと感じるかどうか。もう一つは、マーケットがあるかどうかです。

ものすごく得意でも、マーケットがなければあまり価値を生めません。マーケットがあるとは、その成果を価値だと感じる人が一定数いて、他の価値と交換可能な状態になっているということです。

たとえば、私はゲームの「スプラトゥーン」が得意で、そのへんの人には負けない自信がありますが、これは「交換可能な価値」ではありません。他の人にとっても、価値があることではないからです。

私の場合、他の人よりも得意で、マーケットもある分野は「教えること」でした。学生のとき、アルバイトで塾の先生をやってみたら、他の人より上手にできることに気がつきました。

塾で教えるのは楽しい体験でした。**交換可能な価値を生みつつ、自分としても楽しい。そういう分野だと、がんばるのもあまり苦になりません。**

その後、自分で学習塾を立ち上げました。最初はワンフロアの小さな塾でしたが、1年ほどでビル一棟、全フロアを埋めるまで成長しました。

そんなに一気に伸びるとは、最初は想像していませんでした。

大変なことはもちろんありましたが、苦手な分野はとにかく人に任せていたので、そんなにつらくはなかった。

労力に対して、とても大きな成果を得られた感覚でした。これは、得意なことにフォーカスした結果だと思います。

「読書こそが、最高の外注化である」

――本を読むことほど、コスパが良いものはない

一番ローコストで安全な外注は、「読書をすること」です。私は、世の中に、こんなにコスパが良い商品はないと思います。

著者にプロの編集者がついて、たくさんの人が関わって、何ヶ月もかけて一冊の本を作る。それが1000円そこそこで買えて、2時間ぐらいでさらっと読めるなんて、こんなに効率のいいことはありません。

本を読むと、いろんな人が長年かけて培った「便利な道具」を、かなりお得に手に入れることができます。

友だちに悩みを相談するぐらいなら、たくさん本を読んだ方がよほどいいでしょう。たとえば、人間関係についての悩みなら、友だちよりもアドラーの方が詳しいはずです。

また、孫子をコンサルタントとして会社に呼ぶことはできませんが、孫子の本を読んで理解すれば、擬似的に孫子をコンサルタントにすることもできるわけです。ドラッカーやコトラーだって、みんなコンサルタントにできる。

プロの知識や方法論を「外注」して手に入れることができる。後は自分でやらないといけないわけですが、自力で方法を見つけようとするよりも、ずっと時間を短縮できます。

「本ではなく体験で学ぶべき」「いくら本を読んでも、行動しないと意味がない」と言われたりします。それは、確かにその通りです。

でも、たくさん本を読んでおくと、体験と知識が結びつくチャンスが増えるわけです。だから、読書も行動も、どちらも必要なのだと思います。

また、**何かに迷って、行動できなくなったときには、本を読むことで道が開けるこ**

とは多いのです。

読書には、「著者が伝えたいこと」と「自分の悩み」と「実際の経験や体験」がかみ合って、具体的な理解になっていく瞬間があります。

「間テクスト性（＝インターテクスチュアリティ）」という言葉があります。ものすごく単純化して言うと、ある本で読んだ内容を、別の本の内容に投影して理解することです。「コレって、この前に読んだ本に書いてあったアレのことだよな」と。

その本の著者が明確には言っていないことでも、自分が読んだ別の本や、自分の経験、誰かに言われた言葉が結びついて理解できることがあります。

たとえば「リーダー論」についての本を、マネジメントに悩んでいる経営者が読むのと、学生が読むのとでは受け取る印象はまったく違いますよね。これは、経営者にはリーダー論を読んだときに反応しやすくなるような前提知識や経験などがあるからだと思っています。

また、本を読むときのポイントは、無理しないことです。

孫子やドラッカーやジム・コリンズの『ビジョナリーカンパニー』などの名著は確

かに良い本です。ただし、読んでいて「おもしろくないな」と思う人は、読まなくていいと思います。

おもしろくないということは、その本に書いてある内容について、今は困っていないということです。

「名著と言われているから、読まなきゃいけない」といって、無理して読む必要はないのです。

つまり、**悩みがあるときに、その悩みにあった本を読めばいいの**です。

友だちに相談しまくるぐらいなら、本を読んだ方が100倍ましですから。本を読むこともある種の「戦略」です。

友だちというのは「楽しい」とか「好き」という気持ちをくれるものですよね。一方で、基本的には「悩みを解決する」という機能は持っていません。「自分の人生を導いてくれる」機能なんか持っていない。

相談の目的が「ただ話を聞いてほしいだけ」なら、もちろんいいと思います。解決策を求めているわけではなく、ただ慰めてほしいだけなら、友だちに相談してもいいのです。

でも、人間関係の悩みや事業開発の悩みなどは、本を読んで解決していく方が良いのではないかと思います。

また、本は友だちとは違って、家でいつでも読めます。寝ながらでも読めるし、トイレで座りながらでも読める。

本は「問題解決の手段」という点においては、「友人への相談」の完全なる上位互換だと思います。

――読書に対するハードルは、低めに設定しておく

また、「古典を読むといい」という人もいます。

ただ、ぼくは無理に古典を読むことはあまりありません。確かに、古典の内容を知っておくことは役に立つことがあると思うのです。でも、内容を消化しにくい。その理由は、自分で内容を解釈する必要が出てくるからです。

だから、古典を読むとするなら、古典が再編集されて、現代の文脈で語られている本の方で十分だと思います。

古典の原書にあたるよりも、識者が解説している本を読んだ方がわかりやすく、吸収しやすいものですよね。

研究者や「古典を読むのが趣味だ」という人でなければ、無理に古典を読む必要はないと私は考えています。

読書は「情報入手の手段」と考えましょう。だから、あなたが「漫画でわかる○○」がわかりやすいなら、それでもいいのです。読まないよりずっと良い。

もしあなたが、読書に不慣れだというのなら、読み始めるものは興味を持てたものからでかまいません。躊躇して読書を始められないよりも、さっさと読み始めてしまった方が良いですからね。

——真逆の内容のものを同時に読む読書術

最後に、私がおすすめする読書法を紹介しましょう。

私は何かに悩んだら、**できるだけ同じジャンルで「逆のこと」を言っている本を同時に読むようにしています。**

すごく単純化すると、マネジメントで悩んだとしたら、「モチベーションが大切だ」という本と「モチベーションなんていらない」という本を同時に読んでみましょう。

その他にも、たくさんモノがほしい人の話と、ミニマリストの暮らしの本。

「コミュニケーションには思いやりが大切だ」という本と、人を操る心理学の本……という感じ。

すると、真逆のタイトルなのに読んでみると、意外と同じことを言っている部分があったりします。

その部分が、その悩みを解決するための「本質」と捉えましょう。真逆のタイトルでも、実は本質は同じだったりする。

たとえば、コミュニケーションについて「相手を思いやって、伝え方を工夫しましょう」という本があるとします。それはつまり「相手を思いやる」という視点から「人間とはどんな生き物か？」について考えるということです。

一方で、「ブラック心理学」の本では「相手の弱さをいかに利用するか」という視点から、人間を分析していくわけです。

それで結局、どちらの本にも「こうすると、人はこういう風に思います」という本質の部分は、同じようなことが書いてあったりするのです。

たとえば「名前を呼んだら喜んでくれますよ」とか。一方ではそれを「思いやり」と書くし、一方では「人間ってこういうものだから、こうすれば操れます」と書いていたりする。でもそれらは、結局「名前を呼ぶといい」という本質は変わらないのです。

真逆のように見える本ですが、実は光の当て方が違うだけ、というわけです。真逆の本を読んでも、自分の感覚に合うものばかり取り入れてしまう人もいるかもしれません。

逆に「いろんな考え方があるな」と思うだけで、結局あまり変わらない……なんてこともあるかもしれません。

でも、そもそも本を読むのは「影響されるため」というわけではありません。

本を読むのは、ものごとを理解するため。ものごとを多角的に見るためです。

人間はどうしても、ものごとを固定的に見てしまいます。だから自分をニュートラルな視点におくために、この読書法は有効です。

思いやりの本と、人を操る心理学。両方を買った時点で、わりとニュートラルになることができますから。

本に書いていることは無条件に信じなくていいし、むやみに反発しなくてもいいんです。

単純に「この人はこういう考えなんだな」くらいに捉えていればいい。真逆の2冊を読むようにすると「他の考え方もあるんだ」という事実が目の前に置いてあるので、考えも偏りにくくなりますよ。

第 4 章

習慣化する

「知識」と「スキル」には別の習得方法がある

——知識の方がGoogleよりも優れている

知識は「記憶」して、いつでも引っ張り出せる状態にしておくのが、便利です。

「知識なんて覚えないで、別にググればいいじゃん」と思う方もいるかもしれません。

でも、いちいちググっていたら、時間ばかりかかってしまいます。そうなると、急ぎのときには間に合わないし、調べるというステップを踏むことで、次の行動を起こすまでに時間がかかります。

簡単に覚えられるようなことならば、ググるよりも、覚えた方が早いのです。

人間には、脳というアクセスが速い検索器官が頭についています。それなのに、わざわざ記憶を外部化して、スマホを使っている方が時間がもったいないです。

注意してほしいのは、「なんでもかんでも覚えるべき」と言っているわけではないことです。ただ、自分のやりたい分野についての知識は、あればあるほど有利になります。

なぜなら、**知識があると、「文脈」を読めるようになる**からです。

たとえば、「ナショナリズム」をテーマとした文章があるとします。もしあなたが「ナショナリズム」について、ある程度の前提知識があれば、文章を読んだときに、議論の文脈を踏まえた上で理解することができます。

そうなると、その文章では、「ナショナリズム」が肯定的に捉えられているのか、批判的に書かれているのか、ということができます。

このように、知識を自分の頭の中に記憶しておけば、実際に対処しなければいけない問題が置かれている文脈も踏まえられます。すると、文章をより解像度を上げた状態で、捉えることも可能になるのです。

――時間を管理して、最も効率良く記憶する

とはいえ、知識を手に入れるには、時間がかかってしまいます。そこで、ここでは、効率良く記憶するためのテクニックをいくつかご紹介します。

まずは「ポモドーロテクニック」です。このテクニックは、効率よく記憶するために、人間の集中力を高める時間管理術です。

ポモドーロというのは、イタリアでよく使われているトマト型のキッチンタイマーのことを指します。その名の由来の通り、このテクニックでは、タイマーで時間を区切って勉強することを推奨しています。

やり方は非常に単純で、「25分勉強して、5分休憩」という流れを数回繰り返すだけです。やり方は次の通りです。

① やるべき課題を決める。

② タイマーを25分に設定し、作業を始める。その25分間は、他のことは一切せず、

ポモドーロテクニックで、英語を学習する

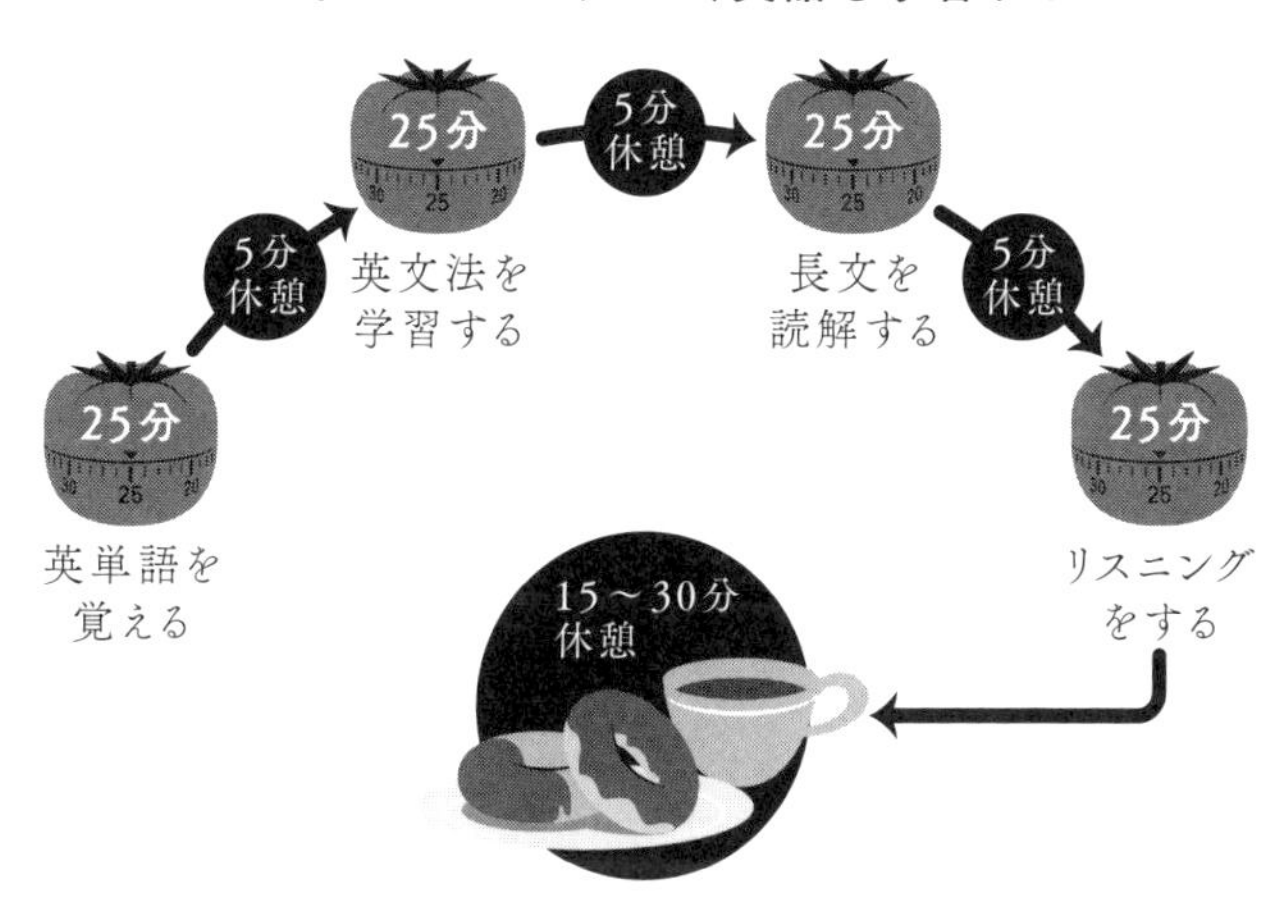

目の前の課題に集中する。

③ 25分後にタイマーが鳴ったら、作業が途中でもストップし、タイマーを5分に設定して休憩を取る。休憩中は、ストレッチしたり目を閉じたりしてリラックスする。

ここでは、以上の①〜③のように、「25分集中＋5分休憩」を1セットとします。これを4セット（約2時間）をこなしたら、4セット目の勉強後に15分〜30分の長い休憩を取りましょう。

この方法に効果があるとされているのは、集中力が持続するからだといわれています。

もちろんそれもそうなのですが、このテクニックの肝は「5分の休憩」にあるのではないかと思っています。

この5分という時間は、ただ「疲れるから休む」ためにあるのではないです。

この休み時間は、脳を適切に休めて、習得した知識をまとめるための大切な時間です。ですので、どんなに順調に勉強が進んでいたとしても、この5分はスキップすることなく、必ず取るようにしましょう。

――「忘れかける」ことで、記憶が強化される

記憶が脳に定着するのは、「思い出そうとする」ときだと言われています。

なので、最も効率のいい暗記方法は「覚える」→「忘れかける」→「思い出そうとする」→「覚え直す」「忘れかける」というサイクルを、何回も繰り返すことです。

暗記が苦手な人の特徴として、一発で完璧に覚えようとしてしまう、という点が挙げられます。でも、そもそも人間は忘れる生き物なので、一発ですべてを覚えて、それを忘れないというのは無理なことです。

それなのに、自分の記憶に期待しすぎてしてしまうばかりに、忘れてしまっていたときに「自分は記憶するのが下手なんだ……」と不必要に落ち込んでしまうわけです。

でも、その落胆は的外れ。

むしろ、忘れることは悪いことではないどころか、覚えるために必要なステップです。

実は「出力依存」といって、記憶は「思い出そうとする」ときに定着すると最近の研究では言われています。「忘れた」とか「思い出せない」ということは、記憶に刻み込むための絶好のチャンスです。ポジティブに捉えましょう。

記憶をするためには、「漆塗り」のように、何度も記憶を塗り重ねて定着させていくべきです。そうやって、再チェックを繰り返していくことがコツになります。

本や参考書を読む途中でも「思い出そうとする」プロセスを追加すると、より記憶に残りやすくなります。たとえば次のような方法です。

①覚えたいページを1ページ読み、いったん教材を閉じる

②今さっき読んだページに何が書いてあったか、思い出す

この技法は「検索練習」と言います。

意図的に情報を思い出そうとすることで、記憶の定着率が上がります。たとえば、1日の終わりに「今日勉強したことを、何も見ずに紙に書き出せるか?」チェックしてみるのもおすすめです。

また数日たった後に、「前回学んだことを、次の勉強の前に軽くテストする」のも良いですね。

このことを踏まえると、単語を覚えるときに、一度覚えた単語を「暗記リスト」から取り除くことはNG、という理由もわかると思います。

すでに覚えた単語だとしても、他の覚えていない単語と一緒に繰り返し学習する方が、記憶に定着しやすい。だったら、覚えたか否かにかかわらず、すべての単語の学習をくり返して、脳に刷り込んでおく方がよほど効果的です。

確かに、間違えた単語だけをくり返し覚えれば、一時的には、効率的に記憶できるかもしれません。中学校の定期テストや小テストなどの一夜漬けでも何とかなる試験だったら、それでもいいかもしれません。でも、そうして繰り返しを経ずに覚えた情報はあくまで一時的な記憶です。

記憶がすっかり抜け落ちた後に、もう一度覚えなおすのは大変非効率的です。どうせ覚えるのであれば、しっかりと定着させてしまった方が、最終的には効率的になります。

——要約で「知識」の定着率が上がる

記憶を定着させるためには、ただ暗記するだけではなく「アウトプット型」の復習をしてみるのも効果的です。

その理由は、脳には、インプットしただけの情報よりも、アウトプットした情報を重要視するというクセがあるからです。

学校教育でも取り入れられていますが、「問題集を解く」「確認テストをする」「学んだことを人に教えるつもりで話す」などの、アウトプット型の復習を取り入れると、人間の脳は情報を覚えやすくなります。

とくにおすすめなのは、学んだ内容を「要約」してみることです。**要約をするために必要なのは、勉強した内容の中から「重要なポイント」を見つけることです。**つまり要約をするためには、「どこが重要で、どこがそうでないのか」という整理を、自分の頭で行う必要があるのです。

すると、学んだ内容を再度思い出しつつ、さらにポイントを押さえた上で頭に入れることができるわけです。

もし「記憶に自信がない」と悩んでいるのであれば、勉強した内容を5行程度に要約してみると、その効果を実感できるかもしれません。

――運動は、記憶力トレーニングにもなる

記憶力を高めるためには、「体を動かしてみる」のもおすすめです。

筑波大学とカリフォルニア大学アーバイン校の教授らが２０１８年に行った研究によれば、１日にわずか10分の軽い運動をするだけで、記憶力をアップさせる効果があると報告されています。

それによると、ヨガや太極拳のようなかなり軽めの運動を10分間実施しただけで、脳の中で記憶を司っている海馬の動きを活性化させて、短期的な記憶力が向上したそうです。

ただ机に向かって長時間勉強するよりも、ちょっとした運動を取り入れてみる方が効率良くなるなんて、おもしろいものですね。勉強に疲れたら、少し机から離れて、散歩やストレッチをしてみるといいでしょう。

先ほどご紹介した「ポモドーロテクニック」と組み合わせてみれば、さらに効果的に記憶力を向上させることができるかもしれません。

——スキルを身につけるための「練習量」

ここまでは「知識」の身につけ方について説明をしてきました。

しかし、勉強の戦略では、知識だけではなく「スキル」を身につけることが肝要になります。

理解した情報を頭に入れておいて、必要に応じて引き出せるようにするのが「知識」の役割です。その一方で、計算や読解のスピードそのものを上げるためには、「スキル」が必要になります。知識を使って具体的に何かをするというどちらかというと身体的なものです。

では一体、こうしたスキルは、何によって身につくのでしょうか。

先に正解を言ってしまうと、それは「練習」によって身につきます。

勉強における練習とは、たとえば、英語の音読やシャドーイングなどが当てはまります。勉強でも、こうした「練習」はとても大切です。

それなのに、多くの人は軽視しがちでもあります。

もしあなたが「知識」ばかりを身につけていると、ただの「物知り」になってしまう。それだけでは、実際に「勉強ができる」ということにはなりません。

もう一度ここで、「勉強の戦略」とは、目標をもって行う大人の勉強であることを思い出しましょう。

たとえば、明確に「勝つ」ことを目標にして行うスポーツを例に挙げると、知識を身につけるよりも、「練習」の量の方が重視されています。トレーニングに必要な知識を身につけたら、後はひたすら練習して、スキルを身につけることに重点を置いています。

スキルはとても身体的なものです。ですから、運動と同じように練習をしなければ身に付かないのです。

知識は、基本的には、学生の試験勉強などで問われるものです。一方で、スキルが問われるのは、資格や言語、リスキリングなどの大人の勉強です。

一般的に、知識よりも「スキル」を身につける方が、多くの時間が必要になります。知識を身につけて、3年間がんばって東大に行く人はたくさんいます。その一方で、3年がんばっただけでプロ野球選手になる人はおそらくいないのではないでしょうか。

つまり、スキルを身につけるには、地道な練習の積み重ねが必要なのです。

――知識とスキルは、同時に習得できる

とはいえ、知識とスキルは、同時並行で身につけるのが効果的です。どちらかだけにフォーカスすると、効率が悪くなってしまいがちです。

知識は、ただ知っているだけでうまくいくこともあります。たとえば先に述べたように、「傘」という存在を知っているだけで、雨に濡れないようにすることもできます。

英語でも同様です。文法の知識や語彙が増えるだけで、英文を読むことはできるようになります。知識を身につけるのは、手っ取り早く効果が出やすいのです。

でもそれだけでは、英文を「素早く読む」とか「ネイティブの話を聞き取る」ようなことは難しいのです。

リーディングスキル、リスニングスキルというものは「身体性」を伴う「スキル」だからです。

でも、皆さん、練習する時間がたくさんないから困っているんですよね。正直、知識を記憶するのも、スキルを練習するのも、普通に面倒くさい。ぼくもそう思います。

だからこそ「勉強の戦略」を用いて、効率化して、なるべくラクにしたい。

皆さんはすでに「いまの自分にとって、必要な知識／スキル」はある程度把握できていると思います。つまり、必要ないものは極力削った状態になっているはずです。

さて、ここからは、自分で手を動かす必要があるものに対して、いかに効率化をして進めていくか、の方法をお教えしていきましょう。

私が今まで教えてきた「2万人の勝ちパターン」の中で、とくに皆さんがマネしやすいものを紹介していきます。

時間がない大人の勉強は、毎日行う「習慣」として身につけてしまうのが手っ取り早いのです。

「毎日の歯磨きが、習慣化の理想形」

――東大に受かる人の「当たり前」

私は予備校を運営する中で、東大のような難関校に受かる生徒たちをたくさんみてきました。

ここで、はっきりさせておきましょう。

東大に受かる人には、他の人と明らかに違う特徴があります。

それは**「当たり前のことを、当たり前にやる」能力が秀でている**ということです。

普通の人は、努力を「ゼロか100か」で考えがちです。ものすごくがんばるか、まったくやらないか。だから、ふだんはまったく勉強せずに、試験前だけ全力を出したりするわけです。

しかし、難関校に受かる人は、そうではありません。

そういう人たちは、小学生ぐらいからずっと「1日に2～3時間の勉強」が、習慣として生活に組み込まれているのです。そして、驚くほど「普通に」東大に受かります。

ちょっと考えてみてください。「1日に2～3時間の勉強」って、ものすごく大変というわけではありませんよね。

つまり、普通に東大に受かる人は、無理のない範囲のことをコツコツ継続している。

勉強がうまくいく人は、そんな「正しい習慣」を身につけているのです。

――「がんばっている感」があるうちは、まだ習慣ではない

目標が決まって、戦略を立てて、やるべきことのうち外注できるものは手放した。

ここまできたら、基本的に「**後は淡々とこなすだけ**」です。

どんなにすごい戦略や方法論も、継続できなければ意味がありません。むしろ継続さえできれば、そんなに奇抜なメソッドなどは必要ありません。

毎日ちゃんと単語帳を見ていたら、いつかは覚えられます。毎日ランニングを続ければ、いつかは痩せるでしょう。

それができないから、みんな挫折するわけです。

努力感なく、淡々と継続する。そのために必要なのが「習慣化」です。

習慣化すると「がんばっている感」がなくなります。「いつものこと」をやっているだけなので、心理的なコストがあまりかからない。

淡々と継続して、いつのまにかできるようになっているのです。

――勉強のハードルを、歯磨きレベルまで落とす

予備校の生徒を見ていると、習慣化の大切さを強く感じます。

東大に受かるような人は、いつも自習室にいます。もう毎日見かける。それでいて、まったく悲壮感がない。「イヤイヤ勉強させられている」という感じではなく、

かといって、めちゃくちゃがんばっている風でもない。飄々としていて、当たり前のように勉強している。

そういう生徒を見ると「この子は受かりそうだな」とすぐにわかります。

習慣化すると、つらいのを我慢して必死にがんばらなくてもよくなります。努力を努力とも思わないぐらい、当たり前のようにやれるからです。

東大に受かるような人が、勉強を努力と思わないのは、私たちが「歯磨き」を努力と思わないのと一緒だと思います。

習慣化で、毎日の歯磨きレベルに勉強のハードルを落としていくことは、すごく大事です。

じゃあ、どうやって習慣を作るのか。そこには、きちんとテクニックがあるのです。

「とりあえず始めてみる」

——単語帳を手に持つだけで、勉強は大成功

勉強を習慣化するためにまずやるべきなのは、「行動のハードルを下げる」ことです。

勉強に対するハードルを、とにかく下げるのです。

たとえば「単語を覚える」ことを習慣化したいときには「単語を覚える」という行動そのものを、細かく分解することです。すると、次のように分解できると思います。

①　単語帳を手に持つ
②　単語帳を開く
③　なんとなく単語をチラ見する
④　ちょっと覚えようとしてみる
⑤　1ページぐらい覚えてみる

最初に習慣化するのは「単語帳を手に持つ」です。まずは、手に持つだけで十分です。開かなくたって良いのです。それができたら、その日のノルマはクリアです。

そう伝えると、ほとんどの生徒さんは「そのぐらい、絶対できるじゃん」とおっしゃいます。

でも、彼らに「じゃあこの授業の前日に、単語帳を手に取った人はいますか」と聞くと、一人もいなかったりします。

もし勉強ならば、「机の前に座る」だけでもかまいません。しかしそれすらも、実はハードルが高かったりするのです。

単語帳を手に取ることすら忘れてしまうなら、さらに行動のハードルを下げないと

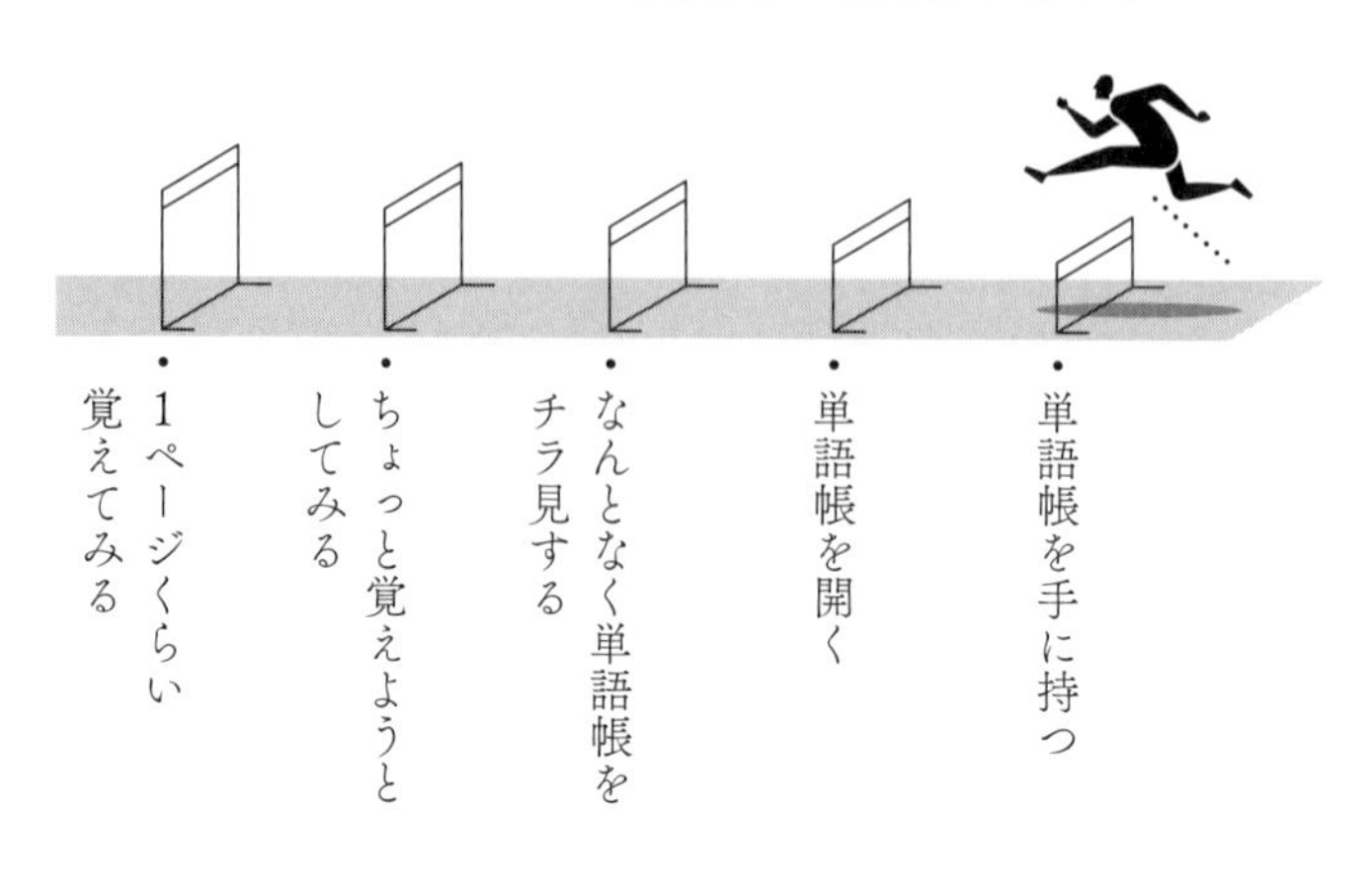

いけません。たとえば、単語帳を手に取ってしまうような仕掛けを考えます。

一例ですが、「単語帳を3冊ぐらい買って、カバンの中とベッド、トイレに置いておく」というのも、効果的でしょう。そうすることで、手持無沙汰になったときに、単語帳を開きたくなったり、目に入ることで「やらなきゃ！」という気持ちを起こさせたりするようにするのです。

実際に社会人の英語学習者の方に、「冷蔵庫の中」に単語帳を入れてもらったこともあります。

その方は、家に帰るなり、いつもビールを飲むという習慣がありました。そこでその習慣を逆に利用して、「冷蔵庫を開けると、ビールの前に単語帳が置いてある」状態を作り出したのです。きんきんに冷えた単語帳です。

ビールを飲みたければ、単語帳を手に取らなくてはいけない。このように、まずは「やらざるを得ない」仕組みを作ることが大事なのです。

入浴剤と英文のプリントをセットにしてジップロックに入れてもらったこともあります。お風呂に入るときに、好きな入浴剤を手に取る、お風呂に入浴剤を入れて湯船につかると、英文のプリントしかないのです。

社会人の勉強には、「環境を整える」というのも、重要な要素の一つです。

そして環境を作ることで、行動を起こすまでのハードルを極限まで下げるのです。一見、勉強にいきなり取りかからないというのは遠回りに見えるかもしれません。しかし、長いスパンで勉強を続けていくことを考えると、むしろこれが一番の近道です。

そんなめんどくさいことやってられない、と思う権利があるのは、継続が得意だと胸をはって言える人だけ。継続できないなら、一見すると回り道に見える「環境作り」をしてみてください。

ハードルを極限まで下げると、行動自体がいつのまにか「当たり前」になっていきます。こうすると、家に帰ったら、無意識のうちに単語帳を手に取るようになってい き、半自動的に勉強を続けることができるようになります。

単語帳を手に取れるようなったら、次は「単語帳を開いてみる」というステップに進みましょう。

それができたら、ちょっと声に出して遊んでみたり、意味をチラ見してなんとなく勉強をしている形にしてみましょう。

もちろん、どのページから始めてもいい。適当に開いたページで構わないんです。「チラ見」まで習慣化できたら、初めて「ちょっと1ページぐらい覚えてみる」で十分です。

実はこの段階まで来ると、だいたいの人は、単語の学習を習慣化できています。このように勉強の習慣をつけるのは、1カ月もかかりません。

というのも、「ただ単語帳を手に取る」だけで、人間は行動をやめてしまうことは少ないからです。

本は手に取れば、自然とページをめくりたくなるもの。だから実際は、ここまで細かく分けるのは極端なケースです。

ほとんどの人は「ちょっと開いてみるか」くらいまでは、わりとすぐに習慣化できます。

こうして、行動を細分化してみれば、習慣化は思ったよりと簡単にできます。習慣化さえしてしまえば、後は半自動的に目標まで進めます。

このように、やる前の「準備」はとても大切な要素です。「いつでも単語帳にアクセスできるようにしておく」という仕組みを作る。そういう環境を整えておくところから、習慣は始まっていくのです。

——なんとかして「毎日やる」には、二つしか方法がない

言わずもがなですが、勉強は「毎日やる」ことが大切です。

逆に言うと、「毎日やれない」ということが挫折するポイントでもあります。

「毎日やれない」という課題を解決する方法は、次の二つしかありません。

まず一つ目は先ほど紹介したように、ハードルを思いっきり下げて、習慣化してしまうこと。

そして、もう一つは、誰かに毎日ガミガミと叱ってもらったりひたすら励ましてもらうことです。

ただ「誰かに言ってもらう」というのは相手が必要になります。コーチングサービスを使うとしても、毎日毎日ずっとつきあってもらうなんて不可能です。仮にできたとしても、永遠につきあってもらうことはできません。

そして、高校生や大学生の試験勉強ならいざ知らず、自分自身で目標を定めて、淡々と行う社会人の勉強では、たいていは、ひとりで進めて行くことが基本にもなります。

だから現実的には「習慣化する」ということが、継続の鍵となります。

きちんと手順をふめば、「習慣化」は一人でもできます。それに汎用性があるから、どんな内容を学ぶときにも応用できる。

結局、仕事も勉強も、淡々とやれる人が強いものです。毎日SNSで格好いいことを言って「俺らが世界を変えるぞ」みたいな人よりも、地味だけど、淡々と事業を続けている人の方が、3年後、5年後に生き残っていることが多いのです。

誰かに依存しなくてもできる、「勉強の戦略」を、皆さんには身につけてもらいたいのです。

「努力」はしんどいものです。だから続かない。逆に言えばしんどくなければ続きます。

冒頭ではみがきを例に出しました。多くの人にとって、はみがきは習慣であり、「しんどい努力」ではないはず。だから継続できるのです。

――「がんばってるね」と言ってもらえることの麻薬性

他人の目を使って勉強をするために、最近では、勉強の様子をSNSで発信し、勉強アカウント同士でつながって、切磋琢磨するという人も少なくありません。

もちろん、勉強仲間とつながったり、勉強の目標を宣言することには、大きな意味があります。しかしながら、SNSとの付き合い方には、少し注意も必要です。

SNSを使うと、簡単に承認欲求が満たされてしまいます。「英語がんばってます！」と発信して、それに「いいね！」がたくさんつく。

すると、勉強して成果を出さなくても、承認欲求が満たされてしまうわけです。

私たちが勉強をするのは、目標を最短距離で達成するためです。**「目標を達成する」という成果が重要なわけで、「毎日勉強をする」というのはその手段でしかありませんよね。**

私たちに必要な承認とは、毎日コツコツ勉強していった先で、それなりの結果が出てからで構わないのです。

承認欲求の誘惑に流されて、いつのまにか「がんばる」のではなく「がんばってるねと言ってもらう」ことが目的化してしまうと、大変危ない状態です。

そうなってしまうから、ダメと言いたいわけではありません。そもそも人間とはそういうものです。

「承認を得ると気持ちいい」。そういう感情には、なかなか抵抗できなくて当然です。

それを自覚しておくことは重要です。「自分は人間だから、承認されるとうれしくなっちゃうよね」と。

その上で、自分は「本当はどうやって承認を得るべきなのか」をきちんと考えておきましょう。

習慣は「気合」や「承認」では身に付かない

そもそもの話として、「褒められること」を目的に勉強するのは、あまりおすすめできません。東大に受かる学生の例でもお話をしましたが、彼らは、べつに褒めてほしいから自習室に行っているわけではないのです。

ただ「習慣化ができている」だけです。

「褒められたい」などの「承認」をベースにして勉強している人は、感情によって行動が左右されてしまう状態です。

それだと、行動を習慣化して継続して行うのは、やっぱり難しくなってしまいます。

習慣化ができている人は、他人やその日の気分には影響を受けない状態になっています。やるのが当たり前だから、淡々と続けられます。

感情に左右されなければ、課題も整理しやすいので、最短距離で成果を出せるのです。

たとえば、「今日も歯磨き、がんばってます」なんて人はいませんよね。歯磨きをして親や先生に褒められるのは、小さい子どもだけです。

でも、人間そのものは、生得的に「歯磨きする」という習慣を持っているわけではありません。みんな、どこかの段階で習慣づけられているわけです。

いつまで経っても、褒められることで歯磨きを続けられている人なんていません。「今日も歯磨きした」とSNSで発信して「すごい！」「今日も白い歯、いいね！」なんてことは、滅多なことがなければありませんよね。

しかしいざ勉強となると、みんなまだ、習慣化できていない。すると、ついついそういうことをしてしまうのです。

逆に、気合や承認が必要なのは、「習慣化できていない」ことの証左でもあります。受験勉強で「合格ハチマキ」を巻いて、気合を入れている予備校講師のポスターなどを見かけたことがあるかもしれません。

でも、歯磨きで「今日も白い歯」なんて書いたハチマキなんかしませんよね。歯磨きを継続できない人のためのグッズなんてないし、褒めて欲しくてツイートする人もいない。

もちろん、気合を入れること自体が、ダメと言っているわけではありません。まだ習慣化されていない段階で、最初のきっかけを作るためにハチマキを巻いたりするのには、一定の効果はあるかもしれません。

ただ何度も言いますが、**気合や承認に頼るのは、それほど大きな効果を生みません**。それよりも習慣化して、成果を最大化することの方が勉強の本来の目的だということを忘れないでください。

仕組みを作る

――ダメな人間でも「仕組み」でカバーできる

人間は基本的に、ダメな生き物です。

スイッチが入って、とつぜん人が変わったようにがんばれる。ごくまれにはあるかもしれませんが、そんなことはほとんど起こりません。

夏休みの宿題をコツコツやれずにためてしまっていた人は、何もしなければ大人になってもそのままです。がんばれないタイプの人は、基本的にはずっとがんばれません。

でも、世の中は普通に回っています。それは彼らのほとんどが、最終的にはなんとかやるべきことをやれているから。

というのも、そういう人のために「仕組み」があるからです。

宿題をためてしまったタイプの人でも、夏休みが明けた後に学校に行けば、普通に勉強できていました。それは、学校という「仕組み」があるからです。

授業の時間が決まっていて、周りもみんな勉強している。つまり、自動的に勉強できているわけです。学校にはそんな「勉強せざるを得ない環境」が整っています。

社会人でもそうです。サボり癖がある人も、会社にいけば自動的に仕事をします。

最近はリモートワークも増えてきていて、「出社」をしない人でも、成果物の期限が設定されていたり、進捗のチェックがあったりするので、自動的に仕事をするようになります。

――勉強をするためには、「線路」が必要だ

また人間は、思っているよりもずっと「感覚的」に動いています。

一説によると、人間の脳は1日に数万～数十万回の意思決定をすると言われていま

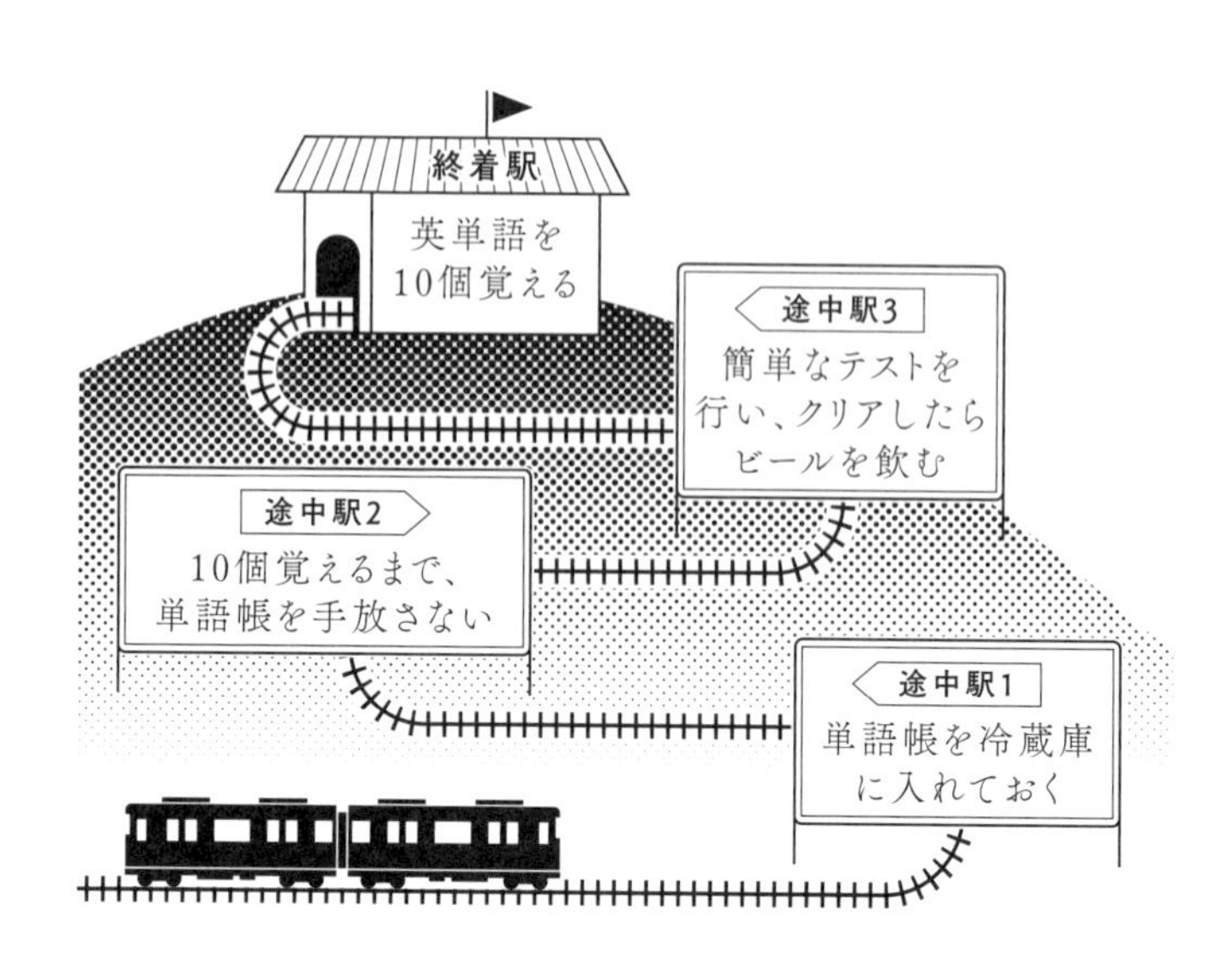

す。

そのすべてを、きちんと考えて判断するなんて負担が大きすぎます。そもそも不可能ですので、無意識のうちに取捨選択してしまっていることが大半です。

また、人間は、どうしても感情の方が優位に働いてしまいがちです。

怒ったり、悲しんだりするときには、理性的な判断がなかなかつかないものですよね。

では、このように感情的で、制御が利かないような自分の行動を、どうやってコントロールすればいいのでしょうか。

ここで大切になってくるのは、「仕組み」

を作ることです。**つまり、頭で考えなくても「感情に任せて、自然に進んでもそうなるよね」といった仕組みを作っておくべきです。**

「習慣化せず、気合でがんばる」のは、F1レーサーのように、最高速まで加速しながら、方向転換にもものすごいエネルギーを使おうとしているようなものです。加速をしながらハンドル操作までするのは、F1レーサーのようにごく限られた人が鍛錬を重ねて、やっと可能になります。

そもそも、人はミニ四駆や電車のように、意外とまっすぐにしか進めないものです。ミニ四駆や電車が曲がれるのは、コースや線路自体が曲がっているからです。そうすると、本当はただまっすぐ進んでいるだけなのに、自然と曲がれるようになる。

人間にも、そういう「線路」のような仕組みが必要なのです。

目標が決まっている勉強であれば、そのゴールから逆算して、あらかじめレールのような仕組みを作っておけばいいのです。そうすれば、レールの上を加速しているだけで、いつの間にか、目標を達成できるようになります。

――条件反射的な行動を「自分ルール」で課してみる

仕組み作りをするときにも、役に立つテクニックは存在します。

その中でもとくにおすすめするのが「If-thenプランニング」です。

「もし（if）○○したら、そのときは（then）××する」と自分ルールを作って、条件付けをすることで、勉強の道筋をつける方法です。

・電車に乗ったら↓単語アプリを開く
・朝コーヒーを淹れたら↓机に向かう
・ベッドに入ったら↓ノートで復習する

このような感じで、行動のルールを決めておきます。

すると、前のアクションをきっかけに、次のアクションへと自然に移ることができるようになります。

たとえば、「電車に乗る」という刺激を受ければ、「あっ、単語アプリを見なくちゃ！」という気持ちが自動で生まれることになります。

この「if-then」の流れが定着すれば、やる気やモチベーションはもはや必要ありません。条件反射のように、スムーズに勉強に取りかかれるようになるからです。

「朝食を摂ったら→歯を磨く」「7時半になったら→家を出る」のと同じように、勉強が「当たり前の習慣」として身につくようになります。

コロンビア大学のハルベーソン教授による調査では「if-thenプランニング」を実行した人は、目標の達成率が3倍も高まった、と報告されています。

簡単に使えるテクニックなので、生活の中のちょっとしたことから、まずは組み込んでいくと効果を実感できるでしょう。仕事が終わって家に着いたら、手洗いうがいをした後に単語帳を開く、などまずは簡単なところから始めてみましょう。

――「ご褒美」はかなり有効な勉強法

習慣化には、さらに「報酬系」を刺激するという方法もあります。

身近な例で言うと、「ダイエットをがんばったから、この日はケーキを食べよう」みたいに、いわゆるチートデイのようなものを、勉強でも設定してみましょう。

そもそも、報酬系とは「インセンティブ（ご褒美）」があることで何かの行動を誘発できる、脳の中にある神経系のことです。

たとえば、私が運営していた予備校では、自習室に一回来るごとに、ラジオ体操のようにスタンプを一つ押してもらえます。そして、スタンプをいくつか集めることで、ちょっとした賞品がもらえる仕組みです。そのスクールに通っているのは中高生なので、外国製の文房具なんかをあげると、彼らはすごく盛り上がって、自習室に進んで来るようになります。

そうやって「自習室に来ると良いことがある」と思えると、報酬系が刺激され、結果的に勉強が継続しやすくなります。

社会人なら「単語を◯個覚えたら、あのお菓子を食べてもいい」とか「参考書を◯問解いたら、楽しみにしていたドラマを観ていい」など、自分でご褒美を決めてみましょう。ＳＮＳで「がんばった」と言う「だけ」で承認を得るような報酬は危ないものですが、行動とセットにした報酬をうまくつかうことは、習慣化を手助けしてくれます。

――15分のスキマ時間は、想像以上にいろいろできる

私が経営している英語スクールでは「1日1時間は勉強しましょう」と言っています。

しかし、ただただ1時間勉強する、というわけではありません。

ポイントは、1時間といっても「15分×4回」でもいいというところにあります。

忙しい社会人がまとまった1時間を毎日取るのは、ハードルが高いものですよね。

でも「15分×4回ならスキマ時間を有効活用できる」と、私は考えています。

スキマ時間を使う場合も、コツが必要になります。

たとえば、「このスキマ時間には、これをやる」というのは、最初から決めておくべきでしょう。

ちょっとした時間を有効活用するためには、何をするかと考えている時間ももったいない。反射的にすぐに取り掛かれるよう準備をしておきましょう。

たとえば、単語を覚える必要があれば、あらかじめスマホに単語アプリを入れておく。

そして、SNSやゲームなどの誘惑になるようなアプリは、自分の目に入りにくい位置に移動しておきます。

スマホのトップ画面を開くと英単語アプリしか目に入らない状態にしておけば、勉強を自然と始められるための導線が確保できます。

一番最初に飛び込んでくるのが、勉強アプリだとなんとなく勉強をしなければいけない気持ちが芽生えてきます。

ただこのように言うと、「たった15分じゃ、単語ぐらいしかできないじゃん」と思う人もいるかもしれません。でも、意外とそんなことはないんです。

たとえば、スキマ時間に「英語の問題集を解く」こともできます。

普通、問題集をやるためには、机と椅子、教科書、ノートなど、いろんな準備が必要だと思いますよね。それは思い込みにすぎません。

先ほど言ったように、行動のハードルを下げておくのはここでも使えます。

たとえば、問題集の解きたい部分を20ページぐらい、あらかじめ写真に撮っておきましょう。そうすれば、電車に乗りながらでも問題集を解くことができます。文法問題ぐらいなら、ノートがなくてもできますよね。

スキマ時間に音読やシャドーイングをするなら、マスクで口元を隠して、小声で発音してみるのもいいです。これは「マンブリング」や「ウィスパリング」といって、大きな声を出さずにコソコソ発音する方法です。この方法なら、マスクをしていれば、周りにはほぼ聞こえません。

英語の音読やシャドーイングにかかる時間は、だいたい30秒ぐらいです。15分あれば、30回も音読できます。タイムロスを考えても、20回ぐらいはできるはずです。

「毎日20回、音読をしている」というのは、けっこうな効果を生みます。いつもカバンにイヤホンを入れておいて、音源をスマホの中に入れて、電車でコソコソっと音読する。それをするのとしないのとでは、大きな差になります。

平日はスキマ時間で、なるべく負担を減らしながら勉強する。

土日などの時間に余裕があるときは、ちょっとイベントのような感覚で模試を解いてみる。そんなバランスで勉強できるのが理想的です。

「たった一時間、しかも細切れでやっても成果は出ない。もっと大量の時間を集中投下しなければ、英語なんてできるようにならない」とSNSで批判されたこともあります。確かに一理あります。そうできるならすれば良いと思います。でも、いきなり何時間もできるならもうやっていますよね。ここで重要なのは、まずどのように習慣を身につけるのか、ということです。

――ランチタイムの15分の積み重ねが、一生を左右する

スキマ時間を活用する理由は、「社会人は忙しいから」以外にも理由があります。それは、習慣を形成しやすくなるからでもあります。スキマ時間に勉強をすると、ふだんの生活の中にも、勉強が自然と溶けこんでいくのです。

たとえば、ランチタイムの15分を使うのもおすすめです。平日の1時間のお昼休みのうち、15分だけ勉強にあてる。遠出してご飯を食べるのでなければ、1時間ずっとご飯を食べる方は珍しいでしょう。

私の知り合いのすごく忙しい社長さんは「ご飯を注文してから、手元に届くまで」

のスキマ時間を活用して勉強していました。その習慣を毎日続けていたら、最終的にリスニングで満点を取れるぐらいまで、英語が上達しました。

こう考えると、1日の中で、ムダにしているスキマ時間は意外と多いとわかるはずです。**「忙しくて時間がない」という人でも、なんとなくSNSを見ているなどしている時間を合計すれば、1時間ぐらいにはなると思います。**

もちろん、SNSやゲームをする時間も、人生においては大切です。

でも、ついついハマってしまい、必要以上に時間を費やしてしまうこともあるはずです。その時間を15分だけでも勉強に使えば、意義あるものになるはずです。

——「ほんのちょっとだけやってみる」のは、大正解

私の会社では「STUDY HACKER」という勉強法のサイトを運営しています。

サイトを立ち上げたばかりのころは、東大生や京大生のアルバイトがたくさんいて、彼らが実践している勉強法を聞いて、それを紹介する記事にしていました。

今回はその中でも、とくによかった勉強法を2つ紹介します。

これらの勉強法を聞いたときはすごく感心して「もっと早く知りたかった！」と思いました。でももちろん今からでも遅くありません。大人になってからも、英語の勉強や仕事などに活用できると思います。

一つ目は「**とりあえず5分勉強法**」というものです。

これはその名の通りです。「5分だけやってみよう」と思って、とりあえず勉強を始める勉強法です。これが不思議なもので、5分だけやってみると、いつのまにか集中できていて、結局ちゃんと長い時間でも勉強できているのです。

これにはちゃんとした理由があります。こういった状況は「作業興奮」という言葉で説明されています。一度取りかかってみることで、脳の「側坐核」という部位が刺激され、ついつい長時間その行動を取り続けてしまうのだそうです。

試験前なのに、部屋の掃除を始めたら止まらなくなってしまったり、「5分だけ……」と思っていたのにスマホ1時間触り続けていたり、ちょっと一杯だけのつもりが深酒をしていたり。原理としては、これらのものと一緒です。

悪い方向にいくとそうなってしまうのですが、こういった脳のクセを利用して、良い方向に活用したのが「とりあえず5分勉強法」です。

とりあえず5分勉強法のコツは、「本当に5分でやめるつもりで始める」ことです。ただし「5分後にこれをする」まで決めてはいけません。たとえばですが、「5分経ったら、絶対たこ焼き食べる」などと決めていたら、たこ焼きを食べてしまいますから。

仮に「絶対5分でやめるぞ」というつもりでやっても「なんかキリが悪いから、もうちょっとやっちゃおう」となるものです。

たとえば「例文から知らない英単語を20個ピックアップして、意味を調べよう」と思ったとします。それで、5分間で12個目まで辞書を引いて、意味を書き込むことができたとしましょう。すると、「残り8個」が気になってしまうのが人間の性でもあります。そして「キリが悪いし、最後までやっておくか」となるわけです。

で、単語の意味を調べると、例文のストーリーも見えてきます。そうすると「ちょっと例文も読んでみるか」となる。

さらに、例文を読んでみたら、なんとなく意味がわかって、問題も解ける感じがしてきます。「あれっ、じゃあこの問題も解いとくか」となって、気づいたら、全部解き終わっている、という具合に勉強がはかどっていくのです。

もちろん、本当に5分でやめる日があってもいいんです。たまに気分がノったときに、やれる日があればいい。そのくらいまでハードルを下げると良いでしょう。

――「最初から負荷が大きいもの」は禁物

もう一つは、ある京大生がやっていた「ぬり絵勉強法」です。

「ぬり絵勉強法」というのは、勉強した分だけ、方眼紙のマスを塗っていく、というものです。教科ごとに色を決めて、やった分塗っていく。それだけです。

勉強量が可視化できるので、自然と楽しくなってくるんです。この効果は絶大です。

そして、全部のマスを塗り終わると、紙がすごいことになります。

この勉強法のポイントは「1マスの単位」をすごく小さくすることです。「1マス1時間」とかではダメ。ハードルが高くなってしまいます。

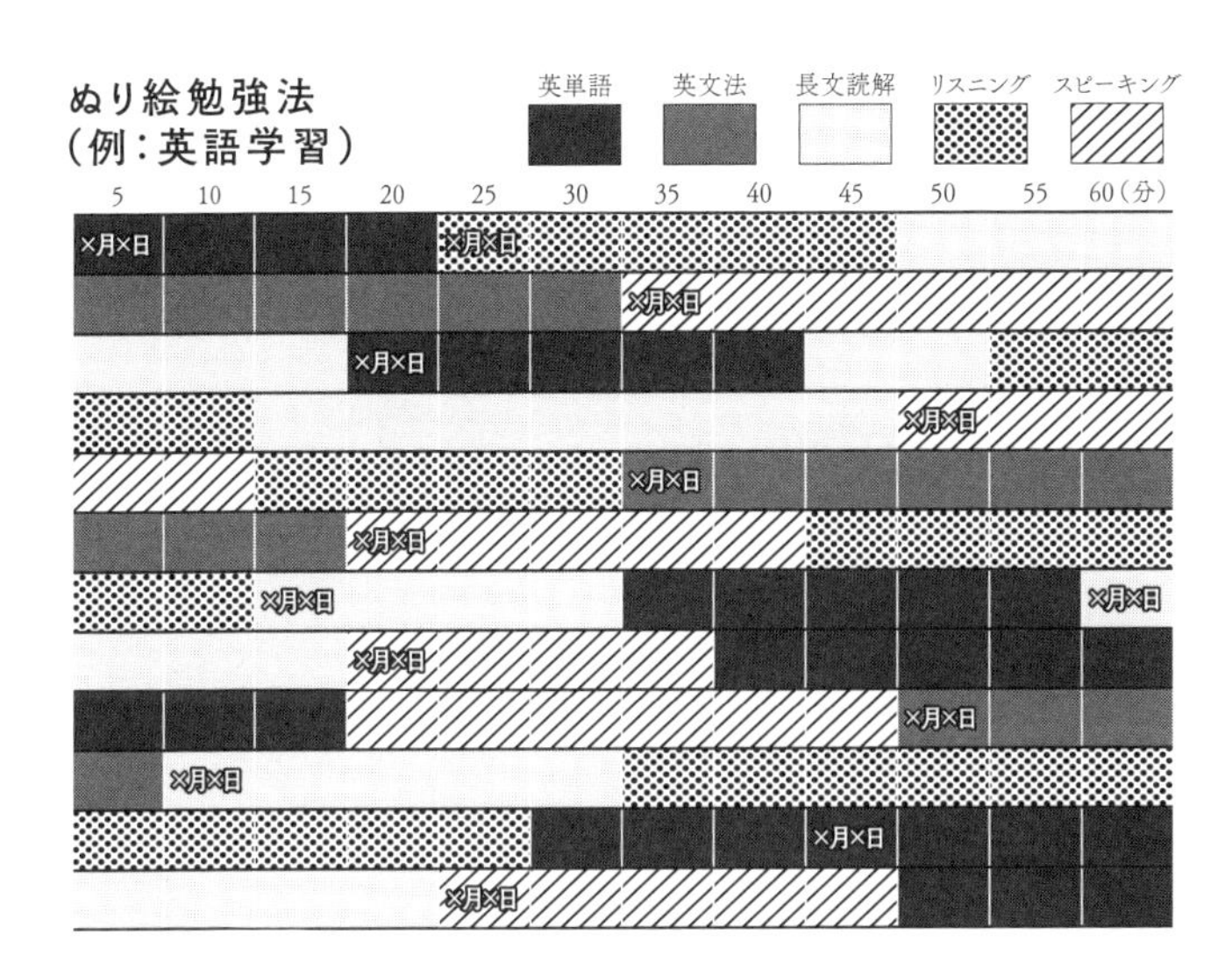

そうではなくて、１マスあたり5分とか10分くらいで設定しておくのがコツです。

単位が小さくなればなるほど、塗るマスの量は増えます。すると、2時間くらいの勉強でも、たくさんのマスを塗ることになりますから、すごくたくさん勉強した気持ちになります。そして、それが可視化されるのは、何より楽しいんです。

そして、勉強法を教えてくれた東大生や京大生がそろって言っていたのは、「心理的負荷が低いものから始める」ということです。

いきなり、物理のすごく難しい問題や、京大入試問題の数学をやったりしない。

そうではなくて、単語の暗記や音読、一

問一答などのラクなものから始めるのです。後は、その日に学校で習ったことを、5分ぐらいでざっと復習するなどします。

どんなに頭が良かったとしても、負荷が大きい難問に取り組むのは、気分がノってきてからではないと厳しいからです。

市販の問題集でも、自分で負荷を調整して勉強することもできます。たとえば、英語の長文問題集なら「ざっと例文を見て、知らない単語に線を引いていく」「単語の意味を調べる」「例文を読む」「問題を解く」みたいに分割することもできる。

そうすれば、分割した課題をそれぞれ5分ぐらいでやれるので、心理的負荷も軽く、取り組みやすくなると思います。

――仕組みを生活の中に溶け込ませるテクニック

仕組みを作って、自然とやってしまえるようにする。この考え方は、勉強以外にも活用できるので、ぜひ日常生活の中にも取り入れてみてください。

たとえば、毎朝のジョギングを習慣にしたい、とあなたが思ったとしましょう。そもそもジョギングって、部屋にいるときはものすごく面倒に感じます。本当は二度寝したいのに、朝起きてわざわざ走りにいくのは大変ですよね。

でも、皆さんも経験があるかもしれませんが、いったん外に出てしまえば面倒くささが一気に消え去ることもありますよね。後は10メートル走ろうが、2キロ走ろうが、気持ち的にはあまり変わりませんよね。

つまり、この場合では単語帳を開くハードルを低くしたのと同じように、「外に出る」までのハードルが極力低くなるように、仕組みをつくればいいわけです。

一例ですが、トレーニングウェアをパジャマにする、という対策を考えることもできます。ウェアに着替えた状態で寝れば、朝起きたらそのまま走りに行けますよね。起きてから走りに行くまでのレールをあらかじめ敷いてしまえば、行動のハードルをかなり下げることができます。

そして、「今日は疲れてるから走らない」という日があっていい。「朝起きて、外に出る」だけクリアすればいい。

習慣化とは、ハードルを下げることで身につきやすくなります。

自動で勉強できる環境を整える

勉強ができるのは、環境のおかげなのか？

「東大に受かるのは、環境のおかげだ」と言われることは多くあります。

確かに、周りの環境は、習慣の形成に大きく影響します。「周りがみんな授業をサボっている」環境と「みんな勉強している」環境では、勉強のしやすさはまったく違います。

勉強する人が多い環境にいると、いざ「勉強しよう」と思ったときに、周りから正しい戦略を教えてもらえます。

進学校が受験に有利なのは「正しい戦略」が提示されやすいからです。先輩や先生から、見当はずれの方法を教わってしまう可能性が低い。進学校の強みはそこにあります。

社会人でも、いい会社に入ることで仕事ができるようになったりします。それは上司や先輩から、変な仕事のやりかたを教わることが少ないからです。

こんなことを言うと「結局環境で決まるなら、運次第じゃん」と思われるかもしれません。

しかし、もし今いる環境が悪くても、諦める必要なんてありません。

たとえば、受験に失敗して進学校にいけなかったとしても、塾に行くことで環境を変えられます。たくさん合格者を出しているところや、規模が小さくても、いい大学へ行っている人の割合が多い塾に入ってみればいいわけです。いい塾では、みんな勉強する習慣が身に付いているし、先生にも正しい戦略を教えるノウハウがあります。

また金銭的な理由で、塾に行くのが難しい方などは、ＳＮＳで同じように勉強している人とつながってみるのは一つの策です。

ＳＮＳで勉強したことをアピールすることには落とし穴がありますが、勉強している人とつながるというＳＮＳ本来の使い方をすれば、今まで知らなかった勉強に関する情報を仕入れることもできます。自ら環境を作っていくことで「ちゃんと勉強している人」を、意図的に周りに増やしていくのです。

――「偏差値50から京大」も環境次第では可能性がある

私は九州の福岡県出身です。

福岡には、市内だけでも偏差値70レベルの公立高校が、3つもあります。

そのような学校には多くの優秀な生徒が通っていますが、彼らの多くは、東大ではなく「九州大学に行きたい」と言っていました。

一方で、京都で私が予備校をやっていたときは、偏差値50の生徒でも「京大へ行きたい」と目標を立てるようになります。

というのも、京都在住の高校生にとっては、京都大学もただの地元の国立大学という扱いだからなのです。京都に住んでいれば、京大生も身近にたくさんいます。なので、彼らは、京大生を「絶対に手が届かない存在」だと思っていないのです。

しかし、九州の高校生は、東大や京大の人に会う機会がほぼありません。だからまう。

「とんでもなく学力がある人が進学している」と自分の頭の中で勝手に思い込んでしまいには、東大、京大に入学する人たちと自分には、「越えられない差」が存在している、と思い込み、目標にすること自体をやめてしまうのです。

つまり、**周囲の環境によって、人は自分の限界を勝手に決めてしまう。**

そうなってしまうと、勉強の効果を最大化することが難しくなってしまいます。そうならないためにも、環境はとても大切です。

京都の予備校では、実際に偏差値50から京大に合格できた生徒もいました。

その生徒は京都の進学校である、京都教育大付属高校に通っていました。付属高校ですが内部進学があるわけではないので、その学校の生徒は、みんな大学受験をします。

彼は京大に行くことを「非現実的なこと」だと思っていませんでした。というのも、彼の周りには「京大へ行く」と言っている友人も、実際に京大へ進学した先輩も普通にいたからです。

京都の進学校では「普通に授業を聞いて、予習と復習をして、プラスアルファで少し勉強をがんばれば、京大に合格できる」という認識があります。

彼の強みは「どう勉強すれば京大に行けるのか」を具体的にイメージできていたところにありました。

――天才経営者もエリート社員も、みんな「普通の人」

私が中学生だったとき、柔道の金メダリストが講演に来たことがありました。

私は、その日、非常にドキドキしていました。というのも、オリンピックで金メダルを取る人なんて、雲の上にいるものすごい人のような気がしていたからです。

でも、実際に話をきいてみたら、意外と普通の人でした。私は拍子抜けしてしまいました。

今になって思うと、起業家も同じです。

自分の会社がまだまだ小さかったとき、ある先輩に会いました。その先輩は、自分で起業した会社を成功させて大きな家に住んでいました。当時の私は、その先輩を

SNSで見て「まるで漫画の世界みたいだな」と思っていました。

でも実際に会ってお話しさせてもらうと、確かにすごいけど「漫画みたい」は大げさだなと思うようになりました。

もちろん、先輩のことはいまでもすごいと思っています。でも、「何かしらの特殊能力がないと無理」というわけではなく、地道に実績を積み上げていけばたどり着ける世界だとわかりました。それは、自分の会社が成長することで、会社経営がどういうものなのか理解できるようになったうえ、自分の周りにも「すごい」と思える経営者がさらに増えてきたからというのもあるでしょう。つまり、私自身の環境が変わったのです。

皆さんも「社長というのは、とんでもなくすごい人だ」と思っている方もいらっしゃるでしょう。でも実際に会ってみると、みんな普通の人だったりします。普通にYouTubeを見たり、コンビニ弁当が好きだったりする。

「年商何億円」とか「バイアウトした」とか「資金調達した」とかで、「あの起業家はすごい！」と世の中では評価されます。でも、決定的に何かが違うというものでもない気がします。

結局は、どの環境に身を置くかで自分自身の常識は異なってきます。たとえば、親が社長の人は、普通に経営者という選択肢が視野に入ってきます。一方で、親がサラリーマンの人は、なかなか起業に踏み出しにくく、普通にサラリーマンになることが多いのと同じです。

もちろん、生まれや運みたいなガチャ的な要素ですべてが決まる、と言っているわけではありません。

私が重視しているのは、「環境」なのです。

つまり、生まれや育ちは変えられませんが、環境だけなら、今からでも変えることができます。サラリーマン家庭で育った人だって、起業して周りが経営者ばかりになると、自然と感覚が変わっていくものです。

少し話が脱線してしまいましたが、環境が重要なのは、勉強も同じです。

東大生や天才研究者も、「みんな人間」ということを忘れてはいけません。

彼らと同じ環境に身を置くことで、自分自身の感覚も変わってくるはずです。

――環境を変えることで、自分自身の現在地が見えてくる

「戦略を立てる」という観点からも、環境を整えることは大切です。

なぜなら環境によって、戦略の大前提となる「目標」が左右されてしまうからです。「何をゴールとして、何を選択するか」は、環境によってもたらされる視点によって決まります。

たとえば、サラリーマンとして働いていると、「成功＝サラリーマンとしての成功」という風に、視点が固定化されてしまいます。そうなると、「昇進や昇給をすることが、自分にとって本当に幸せなのか」をあまり考えられなくなってしまう。

もちろん「どの選択が正しいか」なんて、誰にもわかりません。ただ「こういう世界もあるんだ」ということを知っておけば、最初から選択肢を狭めずに済みます。

福岡の田舎で育った私は、大人になってから「都会の高校生」を少し羨ましく思うことがあります。都会で少年時代を過ごすことで、かつての自分が思いもよらなかった世界に、気軽にアクセスできるからです。今はスマホやインターネットがあるの

で、まったく感覚が違うと思いますけどね。

一つの視点に囚われず、さまざまな世界を体験しておく。

それは自分の限界を広げ、勉強の戦略、さらには人生の戦略を練っていくためにも、とても大切なことだと思います。

――結局、環境は自分で変えるものだ！

先ほどの例でも紹介しましたが、人は無意識のうちに、自分の限界を低く見積もってしまいます。私にもそういう経験はあります。

無意識に課しているストッパーを自覚して解除するのは、案外難しいものです。

だからこそ、限界を打ち破ることに関しては、かなり「意識的に」やらなければいけません。

そのために必要なのは、まず「いろいろな経験をしてみる」ということです。そして「雲の上の存在なんてほとんどいない」と知ることが大切です。

そもそも勉強に関しては「どうがんばっても絶対に無理」なんてことは、基本的にありません。もちろん、一部の天才は実在します。だから、東大の首席を取るのは難しいかもしれない。

でも「試験に合格する」とか「資格を取得する」とか「新たな技能を身につける」くらいなら、やり方次第で誰でもできるはずです。

実際に、偏差値50で「京大に受かる」と言っていた生徒も、本当に京大に合格しました。試験や資格で測れるような人間の能力の差なんて、そんなものです。

しかも、京大に受かるくらいまで勉強してからも、彼の印象は最初のころとあまり変わっていません。親しみやすい感じのままです。でも、彼をまったく知らない九州の高校生にとって、彼は「雲の上の存在」に見えるのだと思います。

また、彼の後輩の立場になってみましょう。その人たちにとっては、普通に話していた先輩が、地元の京大に合格しただけです。その姿を見ているからこそ、「俺も京大にいけるかも」と思うわけです。

こう考えると、環境の影響はとても大きいと分かります。だから「自分はどの環境に身を置くか」というのは、常に意識した方がいいでしょう。

いい環境を見つけるためには、「自分よりすごい」と思える人に積極的に会いに

行ったり、本を読んだりすることも大切です。

そのときに、相手を「雲の上の存在」として意識しすぎないこともポイントです。

「他人に語ると、夢は叶う」とよく言われます。これはあながち間違っていません。あえて高い目標を他人に向けて宣言することは、無意識的に決めつけていた限界を壊すことに寄与することがあります。

また、他人に夢を語ることによって「ピアプレッシャー」という効果が働きます。ピアプレッシャーとは、「仲間からの圧力」を意味します。進学校へ行くと勉強しやすいのも、このピアプレッシャーの一例として説明することができます。

目標を宣言することで「周りの人に見られている」という意識が自分の中で芽生えます。すると、他人からどう思われているかは別にして、疑似的なピアプレッシャーを感じられます。

自分をちょっとだけ追い込むためにも、上司や友人など「この人にがっかりされたくない」と強く感じている人に、あえて目標を宣言してみるのもおすすめです。

――勉強は、思い込めば「できる」

大谷翔平選手や、サッカーの本田圭佑選手は、幼いときから「メジャーに行く」とか「海外でプレーする」と口にしていたそうです。

普通は、メジャーリーガーになれる人は、一握りの「雲の上の存在」だけだと思いますよね。それなりに野球が上手な子でも、本気でプロになれると思える人はなかなかいないでしょう。

でも、彼らは大まじめに世界を目指していた。「自分もテレビの中の選手のように、海外でプレーできる」と本気で思えていた。これはとても大切なことです。

本気で目指しても、実現できないことはもちろんあります。でも、本気で「できる」と思えなければ、そもそも100%実現できません。

「自分には絶対に無理だ」と思った世界は、もはや自分とは関係がない世界になります。もう関心すら持つ必要がなくなります。

私だって、田舎に住んでいたときは「新宿」っていうのは、とてもすごい場所のような気がしていました。本当は普通の街です。なのに、お金持ちやオシャレな人しかいないような気がしてしまう。

こんな風に、身近な行動ですら、思い込みによって左右されているわけです。

勉強をするときには、一番身近にいる親や学校の先生は、まずはその洗脳を解いてあげるべきです。普通に勉強さえすれば、京大くらいなら合格できるよ。こんな風に伝えてあげる存在がいるのはとても大切なことです。

予備校で生徒と話すときは、基本的に「このぐらいは成績を上げられるよ」「そんなの楽勝だよ」「君はもっと上を目指せると思うよ」と伝えます。

社会人向けの英語スクールでも「3カ月でこのぐらい成長しました」という事例を、たくさん公開しています。

やれば、普通にできるようになる。

勉強とはそんなものだということを認識してもらうためです。

そして、自分もやれば普通にできてしまう人であることを知ってもらう。

「3カ月でTOEICのスコアが400点も上がる人は、普通にいる」ことを知れば、自分の中で勝手に作り上げた限界は壊しやすくなるのです。

人間は常に、自分の作った世界観に沿ってものごとを見ています。その世界観は、自分一人で作っているわけではありません。

「勉強」は、世界観を形成する際には大きな要素となります。いろんな本を読んでいる人と、そうでない人。英語がわかる人と、そうでない人。住んでいる街を出たことがない人と、いろんな場所に住んだことがある人。知識やスキルの差によって、見える世界の姿は大きく変わります。

大谷選手や本田選手は、自分が海外で活躍する未来が存在すると、本気で信じていました。だからそれを目標にして、実現させることができたのです。

勉強だって同じです。できると思えば、たいていのことはできるようになります。そのためにも、まずは目標を立てて、そこまでの最短距離を描くことができるようになりましょう。

「勉強の戦略」によって、自分自身に新たな世界観を手に入れることで、自分の人生自体をもっと豊かなものにしていきましょう。

おわりに　なんのために勉強するのか

ムダなことにこそ価値がある

勉強ができると、人生は豊かになります。

身も蓋もない話ですが、今の世の中はそういう仕組みになっています。

学校の勉強のように目標が明確なものではなく、自分で何を勉強するのかを考えた上で、周りと差がつくようなスキルや知識を身につけていくのです。

この本では、実際に目標達成に役に立つ勉強に焦点を絞って、最短で最大効果を出すような戦略的な勉強法を紹介していきました。

私が2万人以上の方と関わる中で見聞きした、この「勉強の戦略」という方法論を使えば、仕事でもプライベートでも成功を得やすくなると思います。

一方で、仕事や勉強を効率化することで、得られるものとは何でしょうか。

この本の最後で、皆さんに考えてほしいのは、ここにあります。

仕事や勉強を効率化すると、必然的に空いた時間が生まれるようになります。

私の個人的な意見としては、ぜひともこの時間は思い切って、「ムダなこと」とか「お金にならないけど楽しいこと」に使ってほしいと思っています。

ここまで、さんざん「効率化」とか「戦略」と言ってきました。でも、逆に言うと、それはムダなことを最大限楽しむためでもあったのです。

私は、ムダなことをしているときが、一番幸せです。できることなら1日中、ボーッとYouTubeやNetflixを眺めていたい。ゲームもしたい。

もちろんムダなことは人によって、それぞれでしょう。趣味に打ち込みたい人もいるでしょうし、大切な人と楽しくお出かけをすることだってそうです。こういう楽しいことを効率化したり、戦略的に行う必要なんてありませんよね。

同じように、成功の定義は人それぞれだと思います。でも、ぼくは「年収を上げること」や「昇進すること」だけが「成功」だとは思っていません。

成功といえるかどうかは、「自分は本当にハッピーなのか」の判断基準で決まります。

ハッピーなことをするためには、ちょっとがんばって「ムダじゃないこと」もしなければいけません。

「ムダだけどハッピーなこと」を目いっぱい楽しむためには、余裕が必要です。

そのために欠かすことができないスキルが「学ぶスキル」だと思います。

スキルや知識が身につくほど、やりたいことができる。

ラクに成果を出すことで、ムダなことをたくさんやれる。

そうなれたら、とても幸せだなと思います。

この書籍がそんな皆さんの助けになるようであれば、私が手に入れたエッセンスを紹介した甲斐もあります。ここまで読んだ皆さんは、今後勉強の仕方で悩むことはもうなくなるのではないでしょうか。今度は、皆さんが、実際にこのノウハウを実践して、人生の目標に向けて最短距離で進んでいってくれると信じています。

「勉強の戦略」の本質は、「自分がいかに幸せに生きるか」にあるのです。

岡 健作

スタディーハッカー 代表取締役社長

1977年生まれ、福岡出身。同志社大学（文学部英文学科）在籍中から英語教育に関わる。大手学習塾の講師・教室長を経て、2010年に京都で恵学社（現：スタディーハッカー）を創業。“Study Smart”（学びをもっと合理的でクールなものに）をコンセプトに、第二言語習得研究（SLA：Second Language Acquisition）などの科学的な知見を実際的な学びの場に落とし込んだ予備校を立ち上げる。予備校で培った英語指導ノウハウを活かした社会人向けの英語のパーソナルジム ENGLISH COMPANYを2015年に設立。その他、学びやスキルアップにまつわるアプリ開発なども行っている。

Twitter：@oka_kgs

ブックデザイン　小口翔平＋後藤司（tobufune）
図版制作　朝日新聞メディアプロダクション
校閲　くすのき舎
編集協力　豊福未波（株式会社WORDS）

9割の「努力」をやめ、
真に必要な一点に集中する

勉強の戦略

2023年7月30日 第1刷発行

著者　岡健作
発行者　宇都宮健太朗
発行所　朝日新聞出版
〒104-8011 東京都中央区築地5-3-2
電話　03-5541-8814［編集］
03-5540-7793［販売］
印刷所　大日本印刷株式会社

Published in Japan by Asahi Shimbun Publications Inc.
ISBN 978-4-02-332290-5